哲学がわかる

哲学の方法

哲学がわかる

哲学の方法

ティモシー・ウィリアムソン　廣瀬覚 訳

A Very Short Introduction

Philosophical Method

岩波書店

PHILOSOPHICAL METHOD
A Very Short Introduction
by Timothy Williamson

First published in hardback as *DOING PHILOSOPHY* in 2018,
first published as a Very Short Introduction in 2020
by Oxford University Press, Oxford.

This Japanese edition published 2023
by Iwanami Shoten, Publishers, Tokyo
by arrangement with Oxford University Press, Oxford.

はじめに

本書の執筆にあたり、折にふれて鋭いコメントを寄せてくださった皆さんに感謝します。ジェニファー・ネイゲル、オックスフォード大学出版局のピーター・モンチロフ、アンドリア・キーガン、ジェニー・ニュジェー。匿名のレフェリーの方々。そして、誰よりも妻のアナ・ムアデーノビッチ・ウィリアムソンに。

途中、いくつか網掛けの欄がありますが、そこでは少しテクニカルな説明をしておきました。参考にしてもらえる読者もいると思いますが、読み飛ばしても本論の流れはたどれるようになっています。

目次

図版一覧

1　ヒョウとインパラ．Nature Picture Library/Alamy Stock Photo.
2　幸福の定義をめぐって議論する大学教師と，それを見守る学生たち．アリストテレス『ニコマコス倫理学』の注釈書(13 世紀，パリ)より．National Library of Sweden, MS Va 3.
3　マスコミの寵児だった哲学者 C. E. M. ジョウド．1940 年代の画風．ART Collection/Alamy Stock Photo.
4　デイヴィッド・チャルマーズと瓜二つのゾンビは向かって左側．James Duncan Davidson(CC BY-NC 2.0); Kues/Shutterstock.com
5　いちばんうまい説明は何だろうか？　Anna Moskvina/Shutterstock.com
6　チューリングが製作した機械(1944 年)．
7　様相量化論理の 4 人の開拓者．左上から時計回りに，アヴィセンナ(イブン・スィーナー，980–1037)，ルードルフ・カルナップ(1891–1970)，ソール・クリプキ(1940–2022)，ルース・バーカン・マーカス(1921–2012)．Granger/REX/Shutterstock; Library Special Collections, Charles E. Young Research Library, UCLA; by permission of The Ruth Barcan Marcus Family Trust; ©Robert P. Matthews, Princeton University.
8　植民地の一光景．エヴァンズ＝プリチャードとザンデ族の少年たち．Copyright Pitt Rivers Museum, University of Oxford.
9　ミュラー＝リヤー錯視.

1 序論

ラグビー界のレジェンド、ジャン＝ピエール・リーヴ。一九七八年から一九八四年まで輝けるフランス代表チームを率いたこの名主将は、ブロンドの長髪を荒々しくなびかせ、ときにシャツを血に染めながらフィールドを疾駆した。その勇姿はいまも人びとの記憶に深く刻み込まれている。そんな彼が、ある新聞のインタビューに答えて戦術論を語ったことがあった。いちばん大切なのは目標を明晰判明にとらえること。次に、複雑な動きをできるだけ単純な要素に分解して、直観的にわかりやすいものにし、それからもう一度それを組み立て直すこと。フランス哲学の顔ともいうべきルネ・デカルト(一五九六―一六五〇)の名前こそあげなかったものの、リーヴは彼の学説としておなじみの「明晰判明」な観念の必要性と、『精神指導の規則』のひとつ(規則5)をまるでなぞるかのように説明したのである。フランスの学校教育では哲学がカリキュラムに組み込まれており、こんなふうに思いもよらない場面で活用されているわけだ。

哲学には危うい面もある。デカルトのもうひとつの方法については、リーヴも推奨を差し控えた。あの過激な戦略、心の外側にある世界も含めて疑えるものはすべて疑い、わずかに残った確実なことがらを堅固な基礎として科学を再構築するという戦略である。何もかも見境なしに疑うようでは、スポーツでの成功などおぼつかないのかもしれない。それはともかくとして、デカルト自身がみずからの掲げる困難な要求を満たしていないのは確かである。昔ながらの怪しげなやり方で神の存在を「証明」し、その神を頼みの綱として自分の懐疑を解消しているからだ。当時でさえ、デカルトの解決策には説得力がないと考える哲学者は少なくなかった。デカルトからすれば相応の理由があって抱いた懐疑ではあったが、フランケンシュタイン博士の怪物さながらに、やがてみずからの手に余るものとなったのである。懐疑論が厄介なのはその点だ。たいていの懐疑論は、パラノイアの哲学者しか興味をもたない、とるに足らない問題として片づけられるのが関の山だろう。だが、政治家や商売人が広告屋を使って、地球温暖化やタバコの害といった不都合な科学的知見を攻撃していることを忘れてはいけない。広告屋が掲げるのは「疑い売ります」というスローガンである。彼らとて、科学者の誤りを証明できないことはわかっている。狙いは人びとの理解を妨げること、世に疑いの種をばらまいてこう思わせることなのだ。「専門家たちも意見が一致しているわけじゃない。だったら心配なんてしても仕方ないさ」気候変動に関する懐疑論は、無害な哲学の一風変わった説として済ますわけにはいかない。それは未来世代への脅威なのだから。★1

　自分は自分の考えを知っている。デカルトが知識の再構築にあたって起点にすえたのはそうした知識だった。いまでもその奇妙な残響を耳にすることがある。二〇〇三年三月、ジョージ・

W・ブッシュ政権のアメリカとトニー・ブレア政権のイギリスがイラクに侵攻し、サッダーム・フセイン体制を転覆させた。フセイン政府は大量破壊兵器を保有している、というのが彼らの名分だった。ほどなくしてこれが誤りだったことが明らかになる。ところが、二〇〇四年の演説でトニー・ブレアは侵攻を正当化し、こう言い放ったのだ。「私は、自分が正しいと信じることを知るのみです」自分は大量破壊兵器があると知っていたわけではない。大量破壊兵器があると自分が信じていることを知っていたのです、と。大量破壊兵器の存在を裏づける検証可能なエビデンスの問題から、内面の誠実性の問題へと話をすり替えようとしたのである。

彼の地で暮らす人びとは長きにわたって人権を踏みにじられてきたが、われわれのそうした認識にも哲学は与《あずか》っている。人権の侵害をそれとして認識できるのは、われわれに人権の概念があるからだ。この概念が育つうえで、哲学者の果たした役割は大きい。なかでもデカルトの同時代人、フーゴー・グローティウス(一五八三―一六四五)、ジョン・ロック(一六三二―一七〇四)らは特筆すべき存在である。

哲学はけっして浮世離れした学問ではない。生活のなにげない場面や重要な場面にも哲学は息づいている。しかし、哲学とはいったい何だろうか。哲学者は何を目指しているのだろうか。

昔から哲学者は、あらゆるものの本性をごく一般的なレベルで理解しようとしてきた。存在と非存在、可能性と必然性。常識の世界、自然科学の世界、数学の世界。部分と全体、時間と空間、原因と結果、心と物質。彼らはまた、理解することそれ自体を理解しようとする。知識と無知、信念と懐疑、見かけと実在、真と偽、思想と言語、理性と感情。さらに、そうした理解にもとづいておこなわれることを理解し評価しようとする。行為と意図、手段と目的、善と悪、是と否、事実と価値、快と苦、美と醜、生と死などなど。哲学の野心はとどまるところを知らない。

こんなふうに簡単に説明すると、たちまち疑問が浮かんでくる。いま列挙した話題の多くは科学者も取り組んでいるテーマなわけだが、哲学と科学はどう関係しているのだろうか、という疑問である。二つは必ずしも別ものではない。古代ギリシャ以来、哲学には、自然界を研究する自然哲学という分野があった。簡単に言ってしまえば、一六世紀から一七世紀にかけて、自然哲学は今日の意味での自然科学――とくに物理学――に相当するものへと姿を変えたのだ。ガリレオやニュートンといった先駆者たちは、その当時まだ自然哲学者を自称していた。なかには科学者でもあり数学者でもある哲学者もいた。デカルトやゴットフリート・ヴィルヘルム・ライプニッツ(一六四六―一七一六)などがそうだ。とはいえ、自然哲学、すなわち自然科学で独自の方法がはぐくまれてきた点は見落とせない。実験、望遠鏡や顕微鏡など特殊な器具を用いた精密な観察、測定、計算がそこでは中心的な役割を担っている。哲学から生まれたこの嬰児は、次第に成長して親と張り合い、ついにはその生命を脅かすまでになった観がある。哲学も自然科学も、実在の根本的な性質をめぐる同じ問いに競って答えようとしているように見えるからである。もしこれが一対一の決闘なら、どうやら哲学の分が悪そうだ。哲学が武器にできるのは思考の力しかないが、自然科学は先ほど述べたようないろんな方法も使えるからである。「考えることにかけては、自分たちは自然科学者よりも達者だ」と哲学者が大見得を切ったところで、誰がそれを信じるだろうか。喩えを変えよう。哲学者は、肘掛け椅子にゆったりと腰をかけて、「宇宙はかくあるべし」と講釈を垂れる無精者である。それに対して、宇宙の姿を実際にその眼で確かめるのが科学者だ。もしこの比喩が正しければ、哲学などカビ臭い時代遅れの遺物ということになるのではないか。こうした次第で、近代の自然科学の興隆は哲学の方法を覆う危機の火種となったのである。

その後の哲学の流れは、こうした方法論的危機への対処の歴史といっても、それほど間違ってはいないだろう。哲学の方法が科学的方法よりも首尾よくこなせる問題をとにかく見つけようとする努力の歴史だと。だが追って説明するように、哲学の野心は、この過程ですっかり萎《しぼ》まされてしまうケースが多かったのだ。

しかし、哲学と科学の「対立」なるものは、画一的な、狭い科学観を前提にしてはじめて成り立つものでしかないと思う。実際、数学は物理学や化学や生物学といった自然科学に劣らず科学的であり、たえず自然科学を支え続けているが、数学者は実験をするわけではない。哲学者のように、肘掛け椅子に座って思索をめぐらすのが彼らのやり方だ。本書では、哲学者の用いる方法が、彼らの問題——古くからの野心的な問題——に答えるのにふさわしい科学的方法であることを説明しよう。数学と同様、哲学もまた自然科学ではない。ただし数学とは違って、科学としてはまだ十分に成熟してはいないけれども。

たしかに、科学的アプローチと無縁の哲学者はいまも大勢いる。本書は、へたな哲学ではなく、哲学のうまいやり方がテーマだが、うまいとはどういうことか自体、いろんな見方がある。筆者のイメージするうまいやり方を目の敵にする哲学者も、けっして少なくないはずだ。そのあたりの判断は読者におまかせしよう。

本書では、並外れて一般的な問題に哲学がどうすれば答えられるかを説明したい。なにも奇抜な話をしようというのではない。変性意識状態のたぐいは一切登場しない。筆者の説明を聞いて、こんなふうに思う読者もいるだろう。「いや、それだったら自分もやってるから！」そう、そこが肝心なのだ。どんな科学もそうであるように、誰もが利用する知ったり考えたりする方法から哲学もスタートする。ただ少しだけ慎重に、体系的に、批判的に。そして、このプロセスをひたすら繰り返すのだ。あまたの哲学者の数千年にもわたる貢献のおかげで、いまわれわれは、なんぴとも独力では望みえない知性のレベルにいる。とくに子供がそうなのだが、人は折にふれて哲学の種子をはらんだ疑問をみずから問いかけることがあるものだ。物理学、生物学、心理学、言語学、歴史学など、学問の種子を蔵した問いを、多くの人が自分に問いかけるように。何よりも難しいのは、種子が無事に成長できる条件を明らかにし、それを整えてやることである。そうした条件が揃わなければ、どの世代も種子の山に埋もれるばかりで、肝心の実りを手にできずに終わってしまうだろう。

筆者が哲学の道に踏み入ってから、ゆうに四〇年が経ってしまった。いまも哲学は喜びの――そして歯がゆさの――大きな源泉であり続けている。とりあえず歯がゆさのお話は控えめにして、その喜びの一端でもお伝えすることができるならば幸いである。

2　常識から出発する

哲学にとっての常識

こんな話がある。旅人がある人に道を尋ねると、彼はこう答えたという。「オレがそこに行くんなら、ここからは出発しないけどね」それにしても、なんと役に立たない助言だろう。いまいる場所以外に出発地はありえないのだから。研究も同じ。われわれは手もちの知識と信念からスタートするしかない。新たな知識や信念を手にするには、いまある方法で始めるしかない。ひとことでいえば、常識から出発する以外に道はないのだ。もちろん、行き着く先も常識だとはかぎらない。できればそのはるか先まで歩みを進めたいと思うのがふつうだろう。しかし、常識にまったく頼らずにいることがそもそも可能なのだろうか。常識はわれらの旅の伴《とも》ではないのか。

ここで、絶え間のない幻覚に囚われた一人の人物を想像してみよう。彼は自分の経験を信用することができない。かといって、他人が報告する経験が当てになるわけでもない。他人の「報告」自体が自分の幻覚かもしれないからだ。そんな彼が自然科学にたずさわるなど、どだい無理な話だろう。どんなに洗練された自然科学者でも、自分の感覚器官が壊れていないことを前提する必要がある。少なくともそのかぎりで、彼らもまたものを知る常識的な方法に依拠しているのである。

自然科学と同じように、哲学もまた、常識に発する学であることを認めないわけにはいかない。哲学者のなかには、あくまで常識を擁護する人、少なくとも自分が生きている時代と場所で通用する常識の多くを擁護する人がいる。アリストテレス(前三八四―前三二二)がそうだし、トマス・リード(一七一〇―九六)やG・E・ムーア(一八七三―一九五八)もそうだ。一方で、誤った常識と思えるものから逃れようとする哲学者もいる。しかし、完全に逃れられるかといえばそうではない。自然科学は常識的な方法を自明視して、それに寄せる信頼を楽屋裏に押しやりがちだが、哲学者にはこうした方法を真正面から取り上げる根強い傾向がある。常識なるものの身分にしっくりこない何かを感じるからだ。肯定するにせよ疑問視するにせよ、こんなふうに幾度も自覚的に常識のとらえ返しをすることも哲学の手法の一面である。

常識とは何だろうか

どんなものが常識に数え入れられるだろうか。われわれ人間はおおよそ同じ認知能力をたずさえてあゆみ始める(もちろん例外はある)。眼で見、音を聞き、触って感じ、舐めて味わい、鼻で匂いを嗅ぐ能力。操作する能力。調べる能力。記憶する能力。想像する能力。計算する能力。考える能力。言葉や絵で他人に考えを伝え、他人の考えを理解する能力。そうした能力を発揮することで、われわれは周囲の環境を知り、たがいを知り、自分自身を知る。つまり、自分を一部として含む世界を知るのである。そうした知識の多くは、学校や大学で正式の教育を受けるまでもなく、成長し生活するなかで自然に、因果関係を通して身についていくものだ。

ここで、社会のメンバーの大半が知っていることを、社会の「常識」的知識と呼ぶとしよう。常識的知識はどの社会も同じというわけではない。現代社会では、太陽が地球よりも大きいことは常識的知識だろう。けれども石器時代の社会ではそうではなかった。セルビア語を話す社会では、「ツルヴェーノ」が赤を意味することは常識的知識に属する。しかしほかの社会ではそうではない。セルビア語がわかる人は稀にしかいないからだ。とはいえ、常識的知識のすべてが社会によって大きく異なるわけではない。どの人間社会でも、人の身体に頭があり、体内に血が流れていることは常識的知識である。

社会のメンバーの大半が信じていることを、その社会の常識的信念と呼ぼう。常識的知識はみな常識的信念だが、常識的信念が常識的知識だとはかぎらない。誤った信念は知識ではないからだ。ここにぽつんと孤立した社会があって、住民はみな地球が平らだと信じているとしよう。彼らは地球が平らであることを知っている、とは言えない。そもそも地球は平らではないのだから。しかしなるほど彼らは、地球が平らであることを自分たちは知っていると信じているかもしれない。しかし、その信念はやはり偽である。人種差別社会で、メンバーの大半がほかの人種に関して抱く信念が誤りであることも同じ話だ。その社会では常識的信念であっても、それを常識的知識と呼ぶことはできない。そうした信念は偽であり、知識ではないからである。社会のメンバーの大半が、ほかの人種に関する自分たちの常識的信念は常識的知識であると信じていたとしても、そういう信念もやはり偽なのである。社会の内側から常識的知識と常識的信念を区別するのはたしかに難しい。ところが、ほかの社会のメンバーにはその違いがわかる場合も少なくない。

ここからは、社会の常識的知識や常識的信念だけでなく、そうした知識や信念を生み出すふつうの考え方もひっくるめて「常識」と呼ぶことにしよう。

常識の問いと哲学の問い

多くの動物がそうであるように、人間という生き物も好奇心にあふれている。とにかくあれこれ知りたくて仕方がないのが人間なのだ。知識は多いに越したことはない。それは思いもよらないかたちで役に立ってくれる。

ものごとを常識的な線で考えれば、あらゆることが疑問として浮かんでくる。多くの問題は個別具体的なことがらに関わるものだ。ミルクはどこ？　あそこにいるのは誰？　しかし、もっと一般的な問題もある。チーズはどうやって作るの？　ネズミの寿命はどれくらい？　さらに一般的な問題もある。たとえば「〜とは何か」という問題である。子供なら、マグカップのミルクを飲みながら、「ミルクってなあに？」と尋ねるかもしれない。その子は何を「ミルク」と呼ぶかはちゃんとわかっている。知りたいのは、ミルクとは何なのかということだ。その子が聞かされる答えは、「牛から搾られるものだよ」とか「お母さんの身体でできるものだよ」といったものかもしれない。その場合、答えは社会がすでに共有している知識である。けれども、答えがまだ社会で共有されていない知識や信念のこともある。たとえば、蜂蜜がミツバチの巣から採れることは知っていても、どうしてそこに蜂蜜があるのかを知らない人は、「蜂蜜って何なの？」と尋ねるかもしれない。凍ったり溶けたりする仕組みを不思議に思う人は、「水って何なの？」と尋ねるかもしれない。科学は、具体的な動物や植物の性質についての疑問だけでなく、そうした疑問からも出発する。これはわれわれの心のなかの言葉や概念についての疑問ではなく、ミルクや蜂蜜や水といったもの自体についての疑問である。言葉や概念は、食べたり飲んだりするわけにはいかないのだ。

疑問はまだまだ浮かんでくる。太陽や月とは何だろうか。火とは何だろうか。光とは何だろうか。音とは何だろうか。こうした疑問を整理する自然な区分はない。いまのわれわれから見て、科学の端緒と思えるものもあるし、哲学の端緒と思えるものもあるだけだ。空間とは何だろうか。時間とは何だろうか。この二つは物理学の問題だが、形而上学、つまり実在の全体を対象とする哲学の分野の問題でもあり、それぞれでまったく別のことが問われているわけではない。とはいえ、両分野の答えが大きくかけ離れることはありうる。自然科学が自然哲学から始まったことはすでに述べたとおりだ（第1章を参照）。

「〜とは何か」という問いは、哲学の始まりにまでさかのぼる。プラトン（前四二九？—前三四七）は「正義とは何か」「知識とは何か」と問うた。これはいまでもきわめて重要な哲学の問題である。別にプラトンは（古典ギリシャ語の）言葉や概念を問題にしていたわけではない。正義それ自体、知識それ自体を問題にしたのだ。もちろん、正義や知識はミルクや蜂蜜や水のようなものではない。ビールジョッキ一杯分の正義とか、目方にして一キロの知識なんてものはない。しかし、哲学と自然科学の違いはそこではない。生物学は「生命とは何か」という問題（をはじめとする多くの疑問）に答えてくれるが、生命はものではない。ビールジョッキ一杯分の生命も、重さ一キロの生命もありはしない。生物と無生物とは区別されるが、その根本にある違いを説明するのは生物学の仕事である。同じように、行為には正義と不正義が区別されるが、両者の基本的な違いを説明するのは哲学（具体的には政治哲学）の仕事である。知識と無知とは区別されるが、その基本的な違いを説明することもやはり哲学（具体的には認識論）の仕事だ。生命も正義も知識も常識で見分けることはできる。だが、われわれには生来の好奇心がそなわっているので、こうしたことをもっと深く理解したいと思うのである。

もちろん、常識的な区別が満足のいくものとはかぎらない。区別に使う日常用語はあまりに曖昧だったり、いくつもの区別を混同していたり、表面的な区別しかしていなかったりするからだ。こうしたことは哲学でも自然科学でも起こりうる。場合によっては、これからの研究につながる枠組み作りのために、新しい用語を導入して区別を明確にしたり掘り下げたりすることが必要である。常識は出発点であって、目的地ではないのだ。

常識に照らして哲学をチェックする

哲学にとって常識は、二度と立ち戻ることのない出発点ではない。常識には別の役割もある。哲学者の暫定的結論をチェックする、照合点の役割だ。

かつて筆者の同僚が、独自の知覚理論を講義で展開したことがあった。すると学生から、「もしその理論が正しければ、窓越しに外を見ることは不可能だということになりますが」という指摘がでた。同僚の説は窓越しに外が見えるという常識的知識によって反駁されてしまったのだ。実際、いまこれを書いている筆者にも、窓越しに木々が見える。

常識的知識と矛盾する理論はすべて偽である。というのも、「しかじかであることが知られている」ということはつまり、「実際にしかじかである」ということであり、知られていることがらと矛盾するならば、実際にはそうでないということだからである。もうひとつ例をあげよう。ジョン・マクタガート(一八六六—一九二五)のような形而上学者は、時間が実在しないと論じた。ある出来事のあとに別の出来事が起きるのではない、と。だがこれは常識的知識と矛盾する。ふつうわれわれは朝起きたあとに朝食をとるが、そのことは常識的知識だからだ。したがって、この形而上学的理論は反駁されたわけである。現代の哲学では、常識的知識との矛盾を示すことで哲学理論を否定することがしばしばおこなわれている。

当然ながら、哲学理論の是非を判定する基準として常識を用いることには不安もある。誤った常識的信念を常識的知識と取り違えていたとしたらどうだろうか。一部の社会では、拷問は悪ではないと信じられている。さらに、拷問が悪ではないことは自分たちの誰もが知っている、と信じられている。そうした社会に生きる哲学者は、常識との矛盾を指摘して、人権理論は反駁されたと考えるかもしれない。人権理論は拷問が悪であることを含意するからだ。しかしこの場合、反駁されたというのは思い違いではないのか。

気がかりなのは、常識に訴えるというのは体《てい》のいい看板にすぎず、実際は世の先入見にしたがって哲学理論の是非を判定しているだけではないのかという点である。そうした疑念は、現代科学に刺激を受けた哲学者のなかでとくに根強い。常識なるものは近代科学以前の産物でしかないと考えるからだ。バートランド・ラッセル（一八七二―一九七〇）はそれを未開人の形而上学と見なした。たとえばアインシュタインの特殊相対性理論にもとづいて、現在が過去や未来よりも実在的《リアル》であることを否定する哲学者がいる。常識を頼みに反論しても、彼らが動じることはないだろう。彼らからすれば、常識は時空間についての時代遅れの理解に囚われているのだ。

常識と矛盾する理論をもうひとつあげよう。からっぽの空間のなかに原子（あるいは基本粒子）だけが存在するという説である。少なくとも一部の哲学者は、これこそが現代科学の教えだと――もちろん異論はあるが――考えている。常識では存在するとされる規模の大きな物体も、実のところありはしない。棒も石も、テーブルも椅子も、けっして実在しない。大きな物体があるように見えても、実は存在しないのだ、と。だが、ここですでに、常識を根本から否定してしまうことの危うさが顔をのぞかせている。大きな物体があるように見えるというけれども、それはいったい誰にそう見えるのだろうか。おそらくわれわれ人間にだろう。基本粒子にそう見えるということではない。粒子に心はないのだ。しかし、人間もまた大きな物体である以上、くだんの過激な見解によれば存在しないことになる。したがって、誰かに対して棒や石があるように見えることもない。また、使い勝手がいいから「棒」や「石」という言葉があるのでもない。そもそもそれを使う人が存在しないのだから。もっといえば、言葉なんてものも存在しない。言葉は基本粒子ではないからである。というわけで、いよいよ収拾がつかなくなりそうだ。

ここで問われているのは、哲学の問題であるとともに自然科学の問題でもある。自然科学はわれわれの観察能力に深く根を下ろしている。もし観察能力をもつものが存在しないことを科学理論が含意するならば、自分が腰掛けている枝を切り落とすも同然ではないだろうか。観察者のいない観察なるものを仮定しようとしても、そうした観察もまた自分が否定している大きな規模の事象を含んでしまうだろう。[★1] 裏づけとなるエビデンスが手に入る可能性を否定する説は、自分自身の足もとを掘り崩しているに等しいのだ。これは自然科学の理論にも哲学の理論にも当てはまる。自説の裏づけとなるエビデンスは、結局のところ、感覚器官を通して知るという常識的な方法を頼りに集めることになる。そうである以上、理論が擁護できるのは、それと常識との食い違いが限度を超えないかぎりでのことなのだ。

是非はともかくとして、ひとまず常識に哲学理論の点検材料としての役割を認めると、さらに一般的な問題が浮かび上がってくる。哲学ではどんな種類のエビデンスを利用したらいいのか、という問題である。

エビデンスの可謬性

自然科学の理論でも哲学の理論でも、是非を判定するエビデンスのゴールド・スタンダードとして見かけを採用する哲学者は多い。彼らによれば、すぐれた理論とは「見かけを救う」ものでなければならない。言い換えれば、われわれの眼にどう映るかを正確に予測するか、あるいは少なくとも、不正確にそれを予測することを避けるものでなければならない。理論によっては、見かけを正確に予測しながら、実はその見かけが誤っていると主張されることさえある。たとえば、われわれの眼には月が星よりもはるかに大きく見えるだろうと予測しながら、実のところ月は星よりもはるかに小さいと付け加えても、理論に矛盾があるわけではない。もっと過激な理論なら、「星よりずっと大きな月が空に浮かんでいるように見えるだろうが、実は月も星もそこには存在せず、すべては想像の産物にすぎない」とでも言うところだろうか。いずれにせよ理論に許されないのは、月は星よりもはるかに小さく見えるだろうという予測なのだ。見かけを救っただけで「理論はエビデンスと合致する」と言えるなら、極端な話、いまの見え方だけがさしあたって依拠すべきエビデンスということになる。眼にしているものが月や星だろうと、その幻覚だろうと、星々とそれよりずっと大きな月があたかも存在するかのように見えるという事実がエビデンスになるのである。

「事物の見かけこそがエビデンスだ」と言われるのはなぜだろうか。そうしたとらえ方が魅力的なのは、こんなふうに考えるからだ。「事物の真のあり方を自分は間違って理解しているかもしれない。だが少なくとも、自分にどう見えるかを間違えたりはしない」しかし、事物が自分にどう見えるかを誤ることは本当にないのだろうか。

理論の是非の判断材料として見かけを使う場合、「とにかくそう見えた」というだけでは十分ではない。たとえば、この実験では点が動くように見えるだろう、という予測が理論から導かれたとしよう。実験をして、その結果を理論の支持材料や否定材料に使うには、実際に点が動いたように見えたかどうかを判断しなくてはならない。判断は正しいこともあれば誤りのこともある。人間である以上、自分にどう見えたかの判断でも誤りは生じうる。点が動いたようには見えなくても、理論に入れ込むあまり見えたと思い込み、「たしかに点が動いたように見えた」とバイアスのかかった判断を下してしまうことがあるのだ。どんなエビデンスであれ、判断を誤る可能性がゼロになることはない。実際、エビデンスの読み違えはときどき見受けられる。無意識のバイアスに足をすくわれないように努めても、首尾よくやりおおせるとはかぎらない。というわけで、「自分にとっての見え方以外に関しては、判断を誤る余地がある。したがって、自分がエビデンスにできるのは自分にとっての見え方しかない」という論証には穴があることがわかる。論証が掲げるエビデンスの基準を、見かけ自体がクリアできていないのだ。

見かけの判断が無謬かどうかはひとまず措《お》くとしても、事物の見かけこそがエビデンスであるという考えが科学の精神に反していることは確かである。エビデンスはチェック可能で、再現可能で、ほかの人が精査できるものでなければならない、というのが科学の精神だからだ。一人の人物に映じたつかのまの見かけは、これらのすべてで落第である。その点、常識はまだましだろう。広く共有されており、チェックも可能だからである。科学分野のジャーナルに掲載された論文でエビデンスとされるのは実際におこなった実験の結果だが、これは大きなスケールの事物を表す物理学の言葉で書かれている。そうした記述は身の回りの事物を日常語で記述したものよりも細密で専門的だが、たんなる見かけの記述よりもむしろ日常語での記述に近い。

自然科学を見るかぎり、絶対に正しいエビデンスなどどうやら探すだけ無駄なようだ。どんなエビデンスも、あとになって誤りが判明することはある。実際の現場で一〇〇パーセントの確実さを狙った科学的手続きはない。むしろそうしたものは、長い目で見て、誤りを正しやすいようにデザインされているのだ。哲学が望めるのも、やはりそこまでである。

哲学も自然科学も、この世界について常識的なやり方で知る、人間のありきたりな能力にいろいろと依拠せざるをえない。だからどちらの分野も、それまで知識とされてきたものが実は誤りだったと判明しても、慌てずに対応できる戦略を構築する必要がある。しかし、予防策に頼るだけでは足りない。どれほど手を尽くしても、誤りが紛れ込むことは避けられない。それが人間というものだ。エビデンスに誤りが見つかれば、それがどういう誤りかを診断して正す方法も必要である。そこで具体的には、エビデンスに異議を申し立てる権利が認められねばならない。ただしそうした権利を認めたからといって、疑義が差し挟まれるや、ただちにエビデンスとしての扱いが取りやめになるわけではない。かりにそんなことになれば、根拠のない言いがかりが決定権をもつことになり、はた迷惑な懐疑論者のおかげで哲学も自然科学も身動きが取れなくなってしまう。エビデンスが見つかるたび、機械的に難癖をつけさえすればいいのだから。異議を真剣に聞き入れてもらうには、エビデンスのどこがどう問題かを理由をあげて説明しなくてはならない。そうした理由自体もエビデンスの裏づけがいるのは当然だが、そのエビデンスに疑問が突きつけられることはもちろんありうる。第3章では、そうした議論のやりとりをさらに詳しく見ていくことにしよう。

常識の信頼性

この章で素描した考え方によれば、もし常識が実在と無縁なら、哲学も自然科学もわれわれを実在につなぎとめる見込みはあまりない。突き詰めれば、どちらの分野もものごとを知るための常識的な方法に深く依拠しているからである。けれども、完全にではないにせよ、常識が実在とつながっているというのは、ずいぶんと楽観的な考えではないのか。真理でも近似的な真理でもなく、実践に役に立つものとして進化してきたのが常識的信念ではないのか。社会や時代によって常識が異なるのは、それが実在を反映していないことを物語っているのではないのか。

しかし、このような懐疑論は健全ではない。第一に、概していえば、真なる信念は偽なる信念よりも実践的に役に立つ。第二に、常識は一致よりも不一致のほうが驚きであり、刺激的である。一致することは当たり前で、そのこと自体に面白みはないという認識がふつうなのだ。注意が不一致に向かう以上、背景にある一致点にくらべて、不一致の度合いはとかく大袈裟に受けとめられてしまう。けれども、二つのヒトの集団が接触すれば、曲がりなりにも意思疎通が可能であることは、経験の教えるところだ。常識の食い違いは、意思疎通が不可能になるほど深刻ではないのである。

真でないにもかかわらず実践的に役に立つ「常識」の実例を探すとすれば、人間以外の動物に目を向けるべきだろう。相手が動物なら、ヒトであることのうぬぼれや仲間意識から、自分たちに都合のいい解釈をしてしまう心配がないからだ。インパラの群れに一頭のヒョウが忍び寄る場面を思い浮かべよう。どちらの種も、まわりの環境について学ぶ「常識」的な方法を身につけているのは確かである(図1)。しかし、そうした方法が実在から完全に遊離しているなどという話に、いったい説得力があるだろうか。もちろんありはしない。ヒョウにとってもインパラにとっても、自分の近くにほかの種がいるかどうか、いるとすればどこにいるかは、文字どおり生死に関わる問題である。進化の結果、彼らはそうした知識を巧みに手に入れるにいたったのだ。ヒョウやインパラの具体的な行動は、そうした知識を個体に帰属させることで説明できる場合も少なくない。もちろん、われわれと同じく彼らも無謬ではなく、誤った信念を抱くこともある。インパラが、自分の近くにヒョウはいないと誤って信じる場合もあるだろう。だが、その誤りは狩りをするヒョウの技量がすぐれていたり幸運だったりしたことが理由であって、インパラが実在を完全に摑みそこねていることが理由ではない。もちろん、ヒョウやインパラの知識の大半は、彼らにとって実際的な意味をもつ実在のほんの一部についてのものだろう。しかし、範囲こそかぎられてはいても、その知識は見事というべきである。とくに南アフリカの大地でインパラたちが

図１　ヒョウとインパラ

ヒョウを相手に繰り広げる駆け引きには、感嘆の念を禁じえない。

人間以外の動物に常識的知識を認めないのは、生物学的に受け入れがたい。ヒトという動物種に常識的知識を認めないのも、同じように妥当とは思えない。そうした知識を認めたからといって、自分たちを贔屓目に見ることにはならない。常識的知識の存在を裏づけるエビデンスは十分すぎるほどあるのだ。

というわけで、常識的知識に照らして哲学の理論を検証することは至極理にかなっている。具体的な根拠にもとづいて常識的知識に異を唱えることもまたしかりである。何をもってエビデンスとするかという問題は、実際のところ簡単に片づくとはかぎらない。ただそれは自然科学にも言えることだ。エビデンスが異論の可能性をまぬかれることはないのである。

3 議論する

二手に分かれての議論

哲学も学会の進行はほかの分野と基本的に一緒だが、ひとつ特異な点がある。哲学者にとっては、発表よりもそのあとの時間、発表者の論証と結論を吟味する質疑応答のほうが大切なのだ。ここで質問者は反例をあげ、錯誤を訴え、不明瞭な箇所を指摘する。それに答えて、発表者は自分のアイデアを守るべく戦う。こうして議論の応酬がひとしきり続く。聴衆はそのやりとりを見つめ、耳を傾ける。勝敗の行方にあれこれ思いをめぐらすさまは、さながらチェスの対局を見守るかのようだ。「議論は平行線ですね」のひとことで一方の側からドローが提案され、相手方が静かにそれを受け入れることもある。かと思えば、司会者が手詰まりの議論に割って入り、そこで打ち切りにすることもある。司会者への合図もやり方が決まっている。新しい質問があるときは挙手、目下の論点に関連する発言ならば指を立てる。質疑応答にたっぷり一時間を充てる生真面目な学会もある。

ただし議論の結末に関していえば、チェスのアナロジーは適切ではない。たがいに理を尽くしたあとの勝敗がつねに明白であるかのような印象を与えかねないからだ。ところが議論のルールはチェスのルールよりずっと不明確で、ルール自体が争われることさえある。発言がルールにのっとった正当なものか、有効といえるものかどうかをめぐって、双方の意見が食い違ってしまうのだ。司会者は行司でも審判でもないので、その種の問題に裁定を下すことはない。さらに、どちらの議論が上手《うわて》だったかで意見が割れることもある。ものごとの印象は、自分があらかじめどんな理論にコミットしているかで変わってくる。極端な場合、発言の正当性が議論の応酬の一部、あるいは全部を占めていたなどということもあるのだ。

哲学の議論を剣闘士の戦いになぞらえることを快く思わない哲学者もいる。闘技場に立つ自信のない人はたんなる観衆という受け身の役にまわるが、自信と洞察力はさほど比例しない。しかし、そもそも一対一の戦いが真理の探究とどう関係するのだろうか。この懸念には一理ある。哲学研究の状況が悪化すると、やたら攻撃的な大言壮語や物腰柔らかな詭弁が、慎重な理性的思考を押し黙らせてしまう。だが、切っ先鋭い質問を忌避することは、事態の悪化にしかつながらない。名前だけは知られた発表者をつけ上がらせて、はったりと粗雑な議論を許すことになりかねないからだ。

「王様が裸なら、自分にもはっきりそう言ってやる権利がある」これは誰もが思うことだろう。以前、フリードリヒ・ニーチェ(一八四四―一九〇〇)研究で名の知られたある学者の講演を聞いたことがあった。彼はこんなふうに一席ぶってみせた。ニーチェの哲学はただのアカデミックな学説にとどまるものではない。彼の哲学を真摯に受け止めるなら、その人の生き方は根底から変容し、しきたりに囚われないものになるだろう――。質疑応答で学部生からこんな質問が出た。「では、なぜあなたは哲学の教授として、哲学専攻の学生を相手にしきたりどおりのアカデミックな講演をなさるのですか？」ニーチェ学者はムッとして見下げるように言った。「意味のある質問とは思えないね」けれども、その場にいたほかの誰もがそうは思わなかった。「王様は裸だ」と言われれば、王だっていい気はしないだろう。しかし、それを自分の糧にすることはできる。恥を忍べば、本物の服さえ手にできるかもしれない。ちなみに、くだんのニーチェ学者はといえば、いまもあの由緒正しき学部の哲学教授として、二〇年このかた、いつものテーマで途切れることなく学術書を出し続けている。

いま述べた哲学の議論についての見方は、たしかに偏っているかもしれない。ゼロサム・ゲーム、つまり一方の利益が他方の損失となるゲームとして議論を描いたからだ。質疑応答でのやりとりの多くは、むしろ協力ゲームというべきである。発表者のアイデアを補強するエビデンス、新たな応用例、一般化、元来の意図を尊重した修正、論証の単純化が聴衆から提案されることもあるからだ。話を明確にしてほしいという要求が出たからといって、反対論の立場からとはかぎらないのである。

ただし、二つの陣営が敵味方に分かれて議論をぶつけ合うスタイルは哲学の王道ともいえるので、無作法のひとことで片づけるわけにはいかない。しかも、それは哲学の出発点にも関わっている。自分が思い描く常識の限界を知り、それを乗り越えるには、いったいどうしたらいいだろうか。自分とは食い違う常識をもつ人と話してみる、というのが自然な答えだろう。議論を交わすことは、それぞれの出発点がかかえる強みと弱みを検証する機会となるはずだ。

政治の世界では、食い違いには蓋をしたほうが賢明なこともある。表立って問題にすると、関係にひびが入ったり、へたをすれば暴力沙汰になりかねないからだ。しかし、そうした風土で知的探究が育つことはない。意見が食い違っても、隠し立てせず、堂々とオープンにすべきである。そうした文化は度し難い階級社会になっているのが通例だった。下の者が上の者に異を唱えてはいけない文化。過誤を生み育てる温床としては申し分ない環境である。

手厳しい批判に眉をひそめる哲学の文化があることは、筆者自身ときどき経験している。

「破壊的な議論ではなく、建設的な議論をなすべし」といえば、スローガンとしては耳にも心地いい。実際、これは使い古された文句のようにも響く。だが、都市計画の立案者が「家は建てても、絶対に壊すな」と注文されたらどうだろうか。用地が足りなくなったうえに、できたのが欠陥住宅ばかりだとしたらどうなるだろうか。哲学ではすぐれたアイデアも貧弱なアイデアも注目を浴びようと列をなして競っているが、首尾よく注目されるのはその一部でしかない。もちろん、「建設的な議論ではなく、破壊的な議論をなすべし」というスローガンははるかに有害だろう。しかし、哲学の問題に正しく答えるために必要な議論のあり方を、その手の単純なスローガンに集約することはできないのだ。

哲学の対審構造

ここで比較の対象として、法的な争いの解決で活躍する対審構造を取り上げてみよう。そこでは当事者の双方に弁護人がいて、それぞれの主張をできるだけ説得的、効果的に展開する。刑事裁判でいえば検察側と被告人側だ。意見が対立するケースで真実を突き止める方式として、このやり方は広く採用されている。これによって双方の言い分を公平に聞こうという狙いである。しかしそれがうまく機能するには、自分にとって有利な証拠や論証を見つけて提示してくれる有能な代弁者が双方にいなくてはならない。ただしこのシステムにも欠点はある。たとえば、一方の代理人が他方の代理人より有能な場合があることだ。それでも、予審判事が一人で裁くよりも、制度としてのメリットは大きい。どんなに公平な判事も所詮は人間なわけで、結論を早まったり、別の可能性の検討に乗り気でなかったりして、真実をとらえそこねてしまうかもしれないからである。双方の主張を意欲的に訴えさせるという点で、対審構造はうまくできたシステムだといえるだろう。同様のことは哲学の論争にも当てはまる。弁護人が自分の雇い主を弁護するのに対して、哲学者が擁護するのは自分が知的共感を寄せる立場だという違いはある。だがどちらも、説得的な主張を展開する強い動機に支えられているのだ。

弁護人や検察のように、ときには哲学者も、傍《はた》から見れば見込みのない主張を擁護することがある。ただし理由が違う。たいていは自分の考えを捨てられずにいるだけなのだ。哲学者だけがそうというわけではない。人間である以上、それは無理もないことである。科学で真理が勝利をおさめるのは、論敵が説得されるからではなく死に絶えるからだ――そう述べたのは偉大な物理学者のマックス・プランクだが、いささか大袈裟とはいえ、それほど間違ってはいないだろう[★1]。自説に固執する頑固さそのものは、少しも悪いことではない。それがあるおかげで、早まってアイデアを捨てたりせず、批判を乗り越えるチャンスを手にできるのだから。長老格の二人の哲学者がたがいの威信を懸けて公開の場で議論を戦わせ、もの別れに終わる光景は、ありがちといえばありがちである。しかし、たとえ結果がそうであったとしても、時間の無駄だったとはかぎらない。それまで立場を決めかねていた学生が彼らのやりとりを聞いて、一方の側に大きな説得力を認めることもあるだろうからだ。

哲学者の役回りは、ときに、いっそう弁護士然としたものとなる。実際には支持しないアイデアであっても、ひとまず真剣な考慮に値するという判断から肩入れしてみる場合がそうだ。法廷との比較で思い浮かぶのは、対審制をとるとらないにかかわらず、下された評決が不当な場合があるという点である。問題は、手続きを具体的にどう変えれば、そうした評決が防げるかだ。「審理は建設的に進めるべし」と言うだけでは、何の助けにもならない。同様に、哲学上の論争でも誤りが真理を打ち負かすケースは少なからずある。そうしたことが起きないようにするには、やはり具体的に手続きをどう変更するかを考えなくてはならない。その答えがわかればいいのだが。

対審構造では、二者の争いを裁いて判決を下す判事や、場合によっては陪審員が必要になる。

哲学では法廷ほど結論を急がないが、判事や陪審員の役割を担うものがあるとすれば、哲学者の大きなコミュニティーがそれにあたるだろう。役割の遂行には、当事者全員の言い分に耳を傾ける構えと、議論のルールの理解が要求される。この二点に関しては、まだまだ完璧とはいかないまでも、多くのコミュニティーがうまく機能していると言っていい。これは称賛すべき美徳なので、世代から世代へと基本的に受け継がれている。もちろん、そうした美徳は哲学だけのものではない。そもそも教育とは、人の言葉を注意して聞く能力を陶冶するものである。専門分野での教育や経験も同じであり、分野に特有の議論のルール――たとえば数学では証明のルール――を理解させるのがその基本的なあり方なのだ。哲学では議論を戦わせることの役割がきわめて大きいので、当然ながら哲学者はそれを支える規則にとりわけ敏感なのである。

コミュニティーの多くの人が他人の発言に注意深く耳を傾け、議論のルールを理解するようになれば、威張りちらしたり、虚勢を張ったり、詭弁を弄したりといった仕草はむしろ逆効果になる。その種の手合は間抜けに見えるからだ。逆にそうした環境は、鋭い指摘をする人の励みとなる。自分の意見を聞いてもらえると期待できるからである。

自分では鋭い指摘だと思っても、ほかの人から的外れと評される心配はもちろんある。いくらか心配するぶんにはかまわない。そこには自己への反省と他人の知性への敬意があるからだ。けれども心配の度がすぎると、今度は身動きが取れなくなる。しかし、哲学が一筋縄ではいかないこと、どんなにすぐれた哲学者でも簡単に間違いを犯すことは、平素から人の話に耳を傾け、議論のルールを適用するのに長けた哲学者ですら身に沁みて知っている。そのため、彼らが一度の失敗で人を判断することはあまりない。それを思えば、多少は気が楽になるというものだ。

「議論を尊ぶ哲学の文化では、協力ではなく競争が推奨される」と言うのは、「チェス・クラブでは協力ではなく競争が推奨される」と言うのに似ている。たしかにこれは一片の真理を語ってはいるが、対比の仕方としては安直でしかない。チェスは勝ち負けを争うゲームであり、一方の勝利はもう一方の敗北を意味する。しかし、クラブそのものは会員の協働で成立しているし、一局の対戦もプレーヤーどうしの協働のうえに成り立っている。遊びにせよ、名声目的にせよ、技量の向上が狙いにせよ、プレーしたいと思う二人がいてこそのゲームなのだ。哲学も変わりはない。論争で勝者と敗者が出ることはあっても、哲学会そのものは哲学者たちの協働のおかげで成立するものだし、論争ひとつをとっても、議論を望む二人の論者の協働があってはじめて生まれるものなのだ。さらにいえば、哲学が何よりも知識を目指すのに対して、チェスの狙いはそこにはない。しかし、対局を積み重ねることで知識は増えていく。たとえば、どの手を指せば後手の勝ちかといった知識だ。哲学の論争でも知識が増えるのは一緒である。少なくとも、どの立場が擁護可能かという知識は蓄えられていく。また、論戦を繰り広げる二人の哲学者の意見が一致しなくても、結果として双方の理論が改善されることもある。

論理ゲーム

哲学にとって、議論を探究の手段とみなす見方は少しも新しいものではない。中世のスコラ哲学では、口頭の議論がオブリガーティオーネース(obligationes)と呼ばれるある種のゲームとして形式化されている。ラテン語で進められるこのゲームには、チェスさながらの形式的ルールがあった(図2)。中世論理学の厳格な規則にのっとって、議論を担う一方がある言明への賛成論を、もう一方が反対論を展開する。規則の大半は今日でも妥当と認められるものだ。どちらの側も、相手方の議論の前提(仮定)のどれを受け入れ、どれを認めないかを明確にしなければならない。ひとつの前提にいくつもの意味があれば、それを区別して、どの意味でなら受け入れられるか、どの意味でなら認められないかを明示する。ルールの正しい適用を確保するのは審判をつとめる年長者の役目である。このゲームの精神は現代の哲学者にも受け継がれている。ただし現代論理学では、中世論理学で研究された推論の型に還元できない妥当な推論パターンが数多く明らかになっているので、当時のルールは今から見ればあまりに制約が多すぎるのだが。

現代論理学といっそう密接に関わる論理ゲームもある。この種のゲームでは、ふつう、二人のプレーヤー──攻め手と守り手──がひとつの言明をめぐって議論する(詳しくはBox 1を参照)。言明が真ならば、守り手には必勝法がある。言明が偽ならば、必勝法は攻め手の側にある。したがって、プレーヤーがともに最善手を指し続けるかぎり、言明が真ならば守り手が勝ち、偽ならば攻め手が勝つ。ゲームの結果が言明の真理値に対応するわけだ。この種のゲームでは、ゲームと真理の探究とがおおまかに、素朴なかたちで対比されている。真理の探究に役立つようにゲームの規則がデザインされているからである。

もちろん、哲学の議論の大半は論理ゲームほど形式的に整っていない。それでもこうしたゲー

図２　幸福の定義をめぐって議論する大学教師と，それを見守る学生たち．アリストテレス『ニコマコス倫理学』の注釈書(13世紀，パリ)より

「B」を選ぶ．そして，選んだ言明を争点としてゲームを続行する．守り手が言明を選ぶ側になったのは，「または」を含む言明が真であることを示すには，AまたはBのうち真なる言明をひとつあげさえすればよく，それを見つけるのが守り手の役目だからである．

争点となる言明が「Aでない」ならば，攻守が入れ替わり，「A」という言明を争点としてゲームを続行する(たとえば「A」が「いま雨が降っている」ならば，「Aでない」は「いま雨は降っていない」となる)．なぜ攻守が入れ替わるかといえば，「Aでない」が真であることは「A」が偽であることと同値であり，「Aでない」が偽であることは「A」が真であることと同値なので，「Aでない」の守り手は「A」を攻めねばならず，「Aでない」の攻め手は「A」を守らねばならないからである．

双方が手を進めるたびに，争点となる言明の論理的な複雑さは減っていく．やがてゲームは，論理的に単純な言明が争点になるところまで進む．そうした言明は，観察によって検証や反証が可能であることが前提されている．もしその言明が真ならば，守り手の勝ち．偽ならば攻め手の勝ちである．

Box 1
論理ゲームの規則

争点となる言明が「すべてのものはしかじかである」ならば，攻め手はある対象を選んで，それをNと命名する．そして，「Nはしかじかである」という言明を争点としてゲームを続行する(「しかじか」は何でもかまわない．たとえば「緑色」など)．攻め手が対象を選ぶ側になったのは，「すべてのものは」で始まる言明を反証する(偽であることを示す)にはたったひとつ反例をあげればよく，それを見つけるのが攻め手の役目だからである．

争点となる言明が「あるものはしかじかである」ならば，守り手が対象を選んで，それをNと命名する．そして，「Nはしかじかである」という言明を争点としてゲームを続行する．守り手が対象を選ぶ側になったのは，「あるものは」で始まる言明を検証する(真であることを示す)には例をひとつあげればよく，それを見つけるのが守り手の役目だからである．

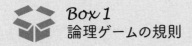

争点となる言明が「AかつB」ならば，攻め手は「A」かまたは「B」を選ぶ．そして，選んだ言明を争点としてゲームを続行する(「A」と「B」はどんな言明でもかまわない．たとえば「いま雨が降っている」と「今日は寒い」など)．攻め手が言明を選ぶ側になったのは，「かつ」を含む言明を反証するには，AまたはBのうち偽の言明をひとつあげさえすればよく，それを見つけるのが攻め手の役目だからである．

争点となる言明が「AまたはB」ならば，守り手は「A」かまたはムは、しかるべき条件のもとで対審構造が真理の追究に役立つことを、モデルとして見事に表現していると言えるだろう。

対話

哲学の議論と質疑応答をややくだけた調子で無理なく表現しているのが、対話体という著述形式である。それはまた、哲学の著作のスタイルとして、きわめて古い歴史をもつものでもある。プラトンの対話篇は、その種の作品としてきわめて有名であり、いまなお読み手を刺激し続けている。もっともプラトン自身は、著作のかたちで哲学をすることにけっして好意的ではなかった。本が相手では質疑応答もかなわないからだ。対話体の書物は次善の策といったところかもしれない。

ギリシャ人は、質疑応答のなかで、たびたび哲学的なパラドックスを提示した。現代の哲学者であれば、さしあたり正しそうに見える前提から矛盾命題を演繹してみせるところである。たとえば砂山のパラドックスがそうだ。曖昧な言葉を手堅く適用することがどんなに難しいかを、このパラドックスは示している。ギリシャ人たちはこれを一連の質疑応答のかたちで提示したのである。

問い　砂つぶ一〇〇〇〇個で山ができるだろうか？

答え　はい。
問い　砂つぶ九九九九個で山ができるだろうか？
答え　はい。
問い　砂つぶ九九九八個で山ができるだろうか？

以下同様に砂つぶの数を減らしていくと、次の問いに行き着く。

問い　砂つぶ〇個で山ができるだろうか？

ここではたと、自分が困った状況に追い込まれていることに気づく。一連の問いで直前とは違う答えを返すのは、「山」という曖昧な言葉が実際よりも精確な意味をもっていると見なすかのようだ。しかし、すべてに同じ答えを返すのも筋が通らない。最初の問いに「はい」と答えるのは明らかに正しいが、最後の問いに「はい」と答えるのは明らかに間違っているからである。どう答えようと、傍からは頓珍漢に見えるし、何よりも答えた当人がその感じを拭えないだろう。

現代の哲学者は、このパラドックスを演繹的論証として定式化する。論証の二つの前提は、とくに問題はなさそうだ。

大前提　任意の n に対して、$n+1$ 個の砂つぶで山ができるならば、n 個の砂つぶでも山ができる。
小前提　一〇〇〇〇個の砂つぶで山ができる。
次に彼らは一段ずつ推論を進めて、次の矛盾命題にたどり着いてみせる。
結論　〇個の砂つぶで山ができる。

こう説明すると大差はなさそうだが、ギリシャ人が哲学を個人の孤独な営みではなく、人と人とが繰り広げる営為として見ていたことが浮き彫りになるはずだ。

プラトンの対話篇には、著者本人は登場しない。かわりに師のソクラテスが登場する。当初その人物像は、実在のソクラテスをモデルにしていた。ところが後期の対話篇になると、ソクラテスたちはただの代弁者に格下げされ、プラトン自身の考えが彼らの口を借りて述べられるようになる。ただし、自説に少し距離をおくかたちで議論は展開されており、旗幟鮮明に自分の考えを打ち出すのではなく、いわば試論のかたちで提示する格好になっている。対話体は、公言が憚られる危険な見解を表明するのにも利用されてきた。登場人物のうち誰が自分の考えにもっとも近いかを伏せておくというやり方である。現代の眼からみれば自然科学の領域に属するだろうが、ガリレオの『天文対話』(一六三二年)もそうしたスタイルで執筆されている。異端学説であるコペルニクスの太陽中心説と距離をおきながら、アリストテレスとプトレマイオスの伝統的な地球中心説にまさるその長所が説かれたのである。もっとも、この逃げ口上はうまく行かなかった。同書の対話でどちらが議論に勝ったかはあまりに明白だったので、ローマ・カトリック教会はこれを禁書とし、ガリレオを軟禁状態へと追いやったのだ。その点デイヴィッド・ヒューム(一七一一—一七七六)は、『自然宗教に関する対話』(一七七九年)で反体制派への共感——神の存在についての懐疑論——をもう少し上手に隠している。とはいえ、彼は無神論を疑われたので、エディンバラ大学の哲学教授職への就任を拒否され、そのポストにははるかに知名度の劣る人物が就くことになったのだが。ライプニッツとジョージ・バークリー(一六八五—一七五三)も、主要な著作を対話体で執筆している。宗教上の見解が正統派に近ければ、どちらの対話者が自分を代弁しているかを明らかにしてもとくに不都合はなかった。ただし、その作品にドラマチックな緊張感といったものはない。

哲学の対話体は、おしなべて、見かけほど多元論の性格が強いわけではない。登場人物こそ多彩ではあっても、所詮著者は一人なのだ。悪くすれば、腹話術師と人形の対話になってしまう。現代の哲学では、対話体はマイナーな役割をあてがわれるにすぎない。論理式も脚注も、対話体ではおさまりが悪いためだ。それでもこのスタイルには大きな強みがある。何かを説明する場合に、複数の視点のやりとりを生き生きと、印象深く、明快に整理して提示できるからである。抽象的な理論のあいだの論理的矛盾よりも、想像上の人間が繰り広げる論争のほうが、読者の気持ちをつかみやすいのだ。

とはいえ、哲学に必要なのは、冷たいまでに合理的で、客観的で、感情ぬきの姿勢ではないのだろうか。だがそのような要求は、心理学的に現実離れしている。科学でも、最高の業績は強いモチベーションがあればこそなのだ。燃えるような好奇心も感情には違いない。ある問いに対してどの答えが正しいかに興味がなければ、答えどうしの微妙な論理的相違など気づけるはずもない。議論の当事者に自分が肩入れする側と毛嫌いする側がいれば、発言の一言一句が脅威になりはしないか、あるいは相手をやり込めるチャンスになりはしないかと、食い入るように対話を注視するだろう。自分のなかに湧き起こった感情は、これまで自分がうちに秘めていた哲学的本能を教えてくれるかもしれない。競争心や対抗意識、野心と結びついたあまり芳しくない感情でも、すぐれた研究や妥当な論証が報われる学問的風土ならば、建設的な役割へと転じることがある。そうした事情は自然科学でも哲学でも変わらない。哲学の論争でそれがどう可能かは、すでに見たとおりである。

対話は、いまでも哲学研究の手段として利用されている。ときには、どちらの陣営も相手の理論が誤りではなく無意味だと見なすことがある。つまり、中立的な視点から理論を説明することができないと。説明するには、まずそれが意味をなすものでなければならないからである。そのような場合は、両者に自分の意見を言わせればいい。そうすれば対話のできあがりだ。一例として、哲学的論理学で進行中の「絶対量化主義者」と「相対量化主義者」の論争をあげておこう。絶対主義者は、「文字どおりあらゆるものからなる対象領域への量化は意味をなす」という。それに対して相対主義者は、「どれほど多くのものを含む対象領域に対して量化をしようと、さらに多くのものからなる対象領域への量化は意味をなす」という。それぞれの陣営が、相手方の説明には自分で自分の足もとを掘り崩す気味があると考えている。つまり、当人たちが意図したような意味のある主張にはなっていないと見ているのである。

正式の対話とはいかないものの、自分の見解を述べたあとで、ありうべき異論にあらかじめ答えておくことはよくある。読者との仮想的な対話とでも呼べるだろうか。「君がこう反論したいのなら、こう答えておこう」というわけだ。この執筆スタイルのおかげで、著者の見解が何を含意し、何を含意しないかが明確になることもある。

懐疑論について論じる場合、懐疑論者との架空の対話を中心に議論が繰り広げられることが多い。現代の認識論者のあいだでは、常識的な考え方や語り方が懐疑論からの異論にたやすく屈してしまうことが大きな問題になっている。彼らはこの事態を次のような短い対話のかたちで劇的に表現してみせる。

メアリー　この動物園にいる動物のこと、あんまり知らないでしょ。
ジョン　そんなことないさ。この檻にいるのはシマウマだろ。
メアリー　ひょっとするとあれはラバで、ペンキを塗ってシマウマに見せかけてるだけなのかもよ。園の資金繰りが苦しくて。
ジョン　なるほど。じゃあ僕の勘違いか。とどのつまり、僕はあれがシマウマだと知ってるわけじゃないってことだな。

ここでメアリーは追い打ちをかけるように言い募る。「自分がいま目を覚ましていることさえ、あなたは知らないのよ」ことによると、ジョンはいまベッドで寝ていて、動物園にいる夢を見ているだけかもしれないからだ。

ジョンの立場の難しさは、対話の危険性についても教えてくれる。メアリーの言い分を認めないためには、ジョンはどう答えるべきだろうか。もし彼が「そんな馬鹿な！　あれがシマウマだってことは、君だってわかってるだろ」といえば、愚鈍で狭量だと思われるのが落ちだろう。会話をしている以上、相手が可能性を口にしたのなら、端から無視するのではなく、真摯に受け止めることが求められるのは道理である。ところが懐疑論者は、こうした会話のマナーに容赦なく乗じて、非懐疑論者をやり込めるのだ。哲学の文化は突拍子もない可能性に人一倍寛容なので、そうした懐疑論の一手も有効と認めるのである。

ジョンはこんなふうにメアリーに答えることもできたかもしれない。「鋭い指摘だね！　でも君がよければだけど、現実問題として、とりあえずあれがシマウマだということを僕が知っていると仮定しようじゃないか」こう言えば先ほどより丁寧で、当たりも柔らかに響く。しかし実際には、これがメアリーの指摘を体よくあしらう科白にすぎないことは、彼女がこう答えればはっきりするだろう。「悪いけど、私としてはそれじゃあよくないの」会話の相手が認めようとしない仮定を設けることに気がとがめると、相手に対して、自分の考えを支配する恐るべき力を与えることになる。懐疑論者は待ってましたとばかりにその力を使い、あなたを懐疑論の落とし穴に引きずり込むのである。話の相手はよくよく注意して選ぶべし。

4　言葉を明確にする

それはどういう意味で言うかによるね

　これはある登山ガイドから聞いたお話。案内した客のなかに気温を数値でしか言わない男がいて、なんともじれったい思いをしたそうだ。「それって摂氏？　それとも華氏？」と聞くと、「どういう意味だい？　度は度だよ」と答えるのだという。二つの尺度の違いをどんなに説明しても、いかにも自信ありげに「度は度さ」と繰り返すばかり。男からすれば、このトートロジーへの異論は詐欺師の口上も同然らしい。しかし、われわれが前に進むには、言葉の意味を明確にすることも時には必要になってくる。

　哲学者に「自分には自由意志があるんだろうか？」と問えば、「ある」とか「ない」といったストレートな答えが返ってくることはまずない。かわりに、こんな答えを聞かされるのではないだろうか。「それは自由意志で何を意味するかによる。もし〈行為は意思決定によって引き起こされるのだろうか?〉という意味なら、たしかにそういう場合はよくある。けれども、〈行為は意思決定によって引き起こされるが、意思決定そのものは何か原因があって生じるものではないと言えるだろうか?〉という意味なら、答えはもちろん「ノー」だ。意思決定は信念と欲求によって引き起こされるし、信念と欲求にもそれを引き起こす原因がある、云々」自分のいう「自由意志」はもっと別の意味だと思えば、くだんの哲学者はその意味について議論の相手をしてくれるはずだ。

二〇世紀のイギリスのラジオ放送で名を馳せた一人に、哲学者のC・E・M・ジョウド(一八九一―一九五三)がいる。「ザ・ブレイン・トラスト」という人気番組のパネリストだ(図3)。リスナーの質問に対して、決まってひとことめに「それは……で君が何を意味するかによるね」と答えるので有名だった。おかげで、哲学者とは「どうしてそう言えるんだい?」ではなく「それはどういう意味?」と聞く人のことだという固定観念が生まれたほどである。二〇世紀の哲学ではいわゆる言語論的転回が流行したが、これはその大衆バージョンといっていい(44ページ以下を参照)。

多くの哲学者が、言葉を明確にして余計な詮議だてを省き、出口のない無益な議論を避けようとしてきた。意見の衝突は、たんなる言葉の問題かもしれないからだ。「気温は零度だ」と一人が言い、「いや、三二度だよ」ともう一人が言ったとする。彼らは自分たちの意見が食い違っていると思うかもしれないが、前者が摂氏、後者が華氏の意味での発言だとすれば、二人とも基本的に同じことを考えているわけだ。同様に、哲学者のA氏が「われわれには自由意志がある」と言い、哲学者のB氏が「われわれに自由意志はない」と言ったとしよう。ここで二人が「自由意志」でそれぞれ違ったことを意味しているとしたらどうだろうか。その場合、言葉のうえでは意見が対立しているように見えるので、実際には二人の考えが同じでも、それがわからないだけなのかもしれない。言葉が多義的であれば、意味の異なる用語を導入して多義性を解消すればいい。たとえばA氏の意味での自由を「A自由」、B氏の意味での自由を「B自由」というように(もっとうまい表現があればいいのだが)。そうすれば、A氏もB氏も、「われわれにはA自由意志はあるが、B自由意志はない」と安心して言える。そこには食い違いの気配すらない。どちらも首尾よく自分の意を通じさせることができるのだ。

言葉の定義には、正しさの点でほかとは変わらないものの、都合のよさでまさるやり方がある。たとえば数学では、素数の定義に1を含めないほうが都合がいいが、1を含めた定義でもおかしな定理が導かれるわけではない。たんに表現の仕方が違うだけだ。ルードルフ・カルナップ(一八九一—一九七〇)によれば、「数は存在するか?」といった何やら深遠そうな理論的問いを哲学者がたてる場合でも、実際に問われているのは、どの言語を使うのが科学にとっていちばん実り多いかという実践的な問題なのである。とある言語では、「数」という言葉が「惑星」という言葉と論理的

図3　マスコミの寵児だった哲学者C. E. M. ジョウド．1940年代の画風

に似た振る舞いをするとしよう。科学者がその言語を用いることは、はたして研究の手助けになるだろうか。言語のなかには、ほかよりも表現力にすぐれたものがある。しかし、表現力にまさる言語であっても、メリットにはデメリットが付き物だ。煩雑すぎて使いこなすのが難しいかもしれないからである。

哲学の問題が生じるのは、日常言語がわれわれを混乱の淵へと引きずり込もうとしているからだ、というのがルートヴィヒ・ヴィトゲンシュタイン(一八八九―一九五一)の見立てだった。たとえば固有名と数詞――ドナウ川と7を例にとろう――は文法的に似た振る舞いをするが、そこから誤解が生じてしまい、抽象的とはいえ、数もまた川と同様に<ruby>もの</ruby>だと考えたくなる。すると、「どこにもないものについて、どうして考えることができるのか?」という疑問が生まれてくる。けれども少し落ち着いて検討すれば、「7」と「ドナウ川」のアナロジーが成立しない点がいろいろと浮かび上がる。「彼は人の話に7回割り込んできた」は意味をなすが、「彼は人の話にドナウ川回割り込んできた」はナンセンスである。

もちろん、カルナップもヴィトゲンシュタインも「数」という言葉そのものに興味があったわけではない。「数」を別の言語の別の言葉に翻訳しても、問題はほぼそのまま引き継がれてしまうだろう。このことは、重要なのは「数」という言葉ではなく数という概念である、という言い方でしばしば表現される。実際、言葉が違っても、同じ概念を表現したり、同じ意味をもったりすることはある。彼らにとって、哲学が問うのは概念の問題であり、たんなる言葉の問題ではない。概念を明確にし、概念の混乱を整理すること、それこそが哲学の務めだというのだ。二〇世紀には、多くの哲学者がこうした見方に与した。いまでもそう考える哲学者は少なくない。当然そうした見方は哲学の進め方にも反映される。

概念を明確にすること。もしこれが哲学の仕事を言い当てているとすれば、哲学には、科学と無駄に張り合わなくても、人さまの役に立つ仕事ができることになる。哲学者がうまい具合に整備した概念を、ほかの分野の人びとに使ってもらうわけである。またこうした考え方は、肘掛け椅子に座った哲学者の研究スタイルを正当化し、外に出て世界を観察したり実験したりする必要がない理由を説明しているようにも見える。研究対象となる概念は、それを表現する言語の運用能力をもっていれば、すでに自分の掌中にあるとされるからだ。英語や中国語といった自然言語にせよ、規則によって明示的に定義された人工的表記法にせよ、その点は変わらない。外部から外国語を研究するのとは違うと考えるのである。

こうした言語論的あるいは概念論的転回によって、哲学上の意見対立も次第に解消されていくのではないか。そんな期待を彼らは抱いたが、現実には徒花でしかなかった。幼少期から自然に覚えた言語であっても、それを支配する暗黙の規則をとらえるのは生半可な業ではない。外国人の言葉遣いがおかしいのはわかるけれども、その理由、つまりどんな規則に反しているかが説明できないという経験は、外国人の語学学習を手伝ったことのある人なら身に覚えがあるのではないだろうか。とりあえずいくつか規則を推測してみても、それが正しいことはまずない。言語学の専門的な知識があっても間違うのがふつうだ。それでも言語学者は、自分の母語をほかの言語と比較するなどして、専門知識のない人よりもましな推測をする。つまり、肘掛け椅子に座ったままでも、母語の規則の理解を大きく前進させるのは可能ということだ。けれども研究の方法としては、それでこと足れりとはいかない。また、言葉のいまの用法を記述するかわりに、言葉の使用が将来どう役立つかを述べたところで、意見の対立が収まるわけでもない。その言葉でどんな効果が生まれるのか、それがプラスの効果なのか、論者によって意見が分かれるからである。

一例として、「女性」という言葉をめぐる近年の激しい論争について考えてみよう。女性の標準的な定義は「メスの成人」という生物学的な定義である。しかし、女性の社会的役割はこの概念と無関係なのだろうか。教育を受け、財産を所有し、選挙で投票する道徳的・法的権利。セックス、結婚、育児、仕事などの面で慣習として期待される振る舞い。そういったものも女性の概念と関係がありはしないだろうか。かりにあるとして、重要なのは女性がいま実際に担っている社会的役割なのだろうか。それとも役割の固定観念のほうなのだろうか。もし後者なら、とある社会――たとえばパキスタン――の女性について、別の社会――たとえばイギリス――の人が語るとき、どんなことが起きるだろうか。重要なのは女性についてのイギリス人の固定観念だろうか、それともパキスタン人の固定観念だろうか。「女性とは、自分を〈女性〉と呼んでもかまわないと思っている人のことである」という見方が最近では有力だが、これについてはどうだろうか。「女性」がいまどんな概念(あるいは概念群)を表現しているかという問題は、簡単には答えられない。これが将来の用法となると、どんな提案も地雷となる危険性さえある。たとえば、自分を女性だと思っている生物学上の男性を考えてみよう。ある提案にしたがってその人物が「女性」と呼ばれるべきだとすると、激怒する人が大勢でてくるに違いない。けれども反対に、その提案から「女性」と呼ばれるべきではないという立場が導かれても、やはり多くの人が激昂するはずだ。誰かお偉い人が「女性」などの日常語の正しい使い方を庶民に教えるという考え自体、賛否が大きく分かれるだろう。悪意のない大学教授連は、自分たちと似た人びとが良かれと思って進めるのが言語改革だと思いがちである。しかし実際には、言葉を定義し直そうとする動きはもっと邪悪な大義に有利に働きかねない。たとえば、「拷問」という言葉が、水責めを含まないかたちで定義し直されるケースがそうだ。[★1] 言語改革に何の抵抗もなく賛同する人びとは、政治的には、簡単に操作されやすいのである。

それでも言葉を明確にしなければならないときはある。それは哲学だけでなく、どんな研究にも言えることだ。たとえば物理学者は、「質量」という言葉の二つの意味を区別する。(全エネルギーで定義される)相対論的質量と(非運動エネルギーで定義される)固有質量である。両者の混同は、はっきりとした誤りにつながる。同様に、「封建制」という言葉を使う歴史家は、自分がそれをどう理解しているかを明確にする。歴史のなかには、定義によって封建制とされたりされなかったりする社会があるからだ。物理学者も歴史家も、言葉の意味を明確にするのに哲学者を必要とはしなかった。そうした作業の必要性は、自分たちの学問が発展するなかでおのずと明らかになったことだった。しかし、ここでひとつ疑問が浮かぶ。概念の明確化は、哲学において格別に重要な役割を担っているのだろうか。それとも重要度そのものは、ほかのまっとうな研究分野とたいして変わらないのだろうか。

哲学では、ほかの分野以上に、多義性を見抜く作業が一貫して大きな意味をもっているかもしれない。例外は文芸批評くらいだろうか。とにかく、哲学者が多義性への警戒心を叩き込まれているのは確かである。もちろん警戒心といっても、他分野との違いは程度問題であり、哲学が異質というわけではない。ただ物理学者や歴史家にとっては、「質量」や「封建制」といった言葉の不明確さを解消することは、あくまで本筋の研究の準備作業でしかない。いわば手術の前にメスを消毒するようなものである。ところが驚くなかれ、「哲学者にとって、そうした明確化は本筋の研究の準備作業ではなく、本筋の研究そのものである」という意見があるのだ。しかし、本当にそんなことが言えるのだろうか。

「質量」の意味を明確にする必要が生じたのは、物理学の理論的発展、とりわけアインシュタインの特殊相対性理論が登場したからだった。「封建制」の意味を明確にする必要が生じたのは、歴史学が発展したから、つまり、ますます多くの時代の多くの社会が詳しく分析されたからだった。では、哲学者はどういう事情があって明確化する──かりに哲学の仕事がそれに尽きるとして──必要があるのだろうか。明確にする対象が過去の哲学だけなら、いっそ哲学などすっかりお払い箱にしたほうが安上がりで簡単ではないだろうか。それなら明確化を必要とする哲学もなくなる。ときおり思い出したように哲学の道に迷い込む人がいても、彼らが金銭的に報われることはないし、市民が額に汗して納めた大切な税金も無駄にならずにすむ。

われわれが使う言葉に完璧な厳密さは期待すべくもない。言葉の意味を厳密にするには、ある程度の曖昧さをはらんだ別の言葉を使わねばならず、明確化した結果もその影響を被らざるをえないからだ。言語であれ思想であれ、たしかに曖昧さを減らせる場合もあるが、完全に払拭することは叶わぬ願いである。明確化の努力は、とくに必要とされる場合に集中すべきだろう。それが必要になるのは、理論上の理由か実践上の理由のいずれかによる。「質量」や「封建制」の場合は、とくに理論上の必要性があった。実践上の理由で意味を明確にしなければならないケースとしては、法律の例をあげることができる。条文に「公共の場でゴミを散らかすべからず」と謳うだけでは、法律として使いものにならない。「ゴミを散らかす」の意味がひどく曖昧だからである。この言葉が法律的に意味をなすには、ゴミの散乱の基準を(完璧にではなくても)明確にする必要がある。そうした理論的な必要性や実践的な必要性がなければ、概念を明確にしても無意味である。

「概念の明確化がもたらすのは知識ではなく理解なのだ」概念の明確化を哲学の本分と考える人たちから、そんな意見を耳にすることがある。しかしこの二分法は適切ではない。空がなぜ青いのかを知らなければ、空が青い理由を理解しているとはいえないだろう。ハンニバルがどうやって象たちにアルプス越えをさせたかを詳しく知れば知るほど、つまり知識を得れば得るほど、理解は深いものとなっていく。知識が増えなくても理解は深まるなどというお話は、どんなに魅力的に聞こえようとも幻想でしかない。それは哲学でもほかの分野でも同じである。

これは多分にヴィトゲンシュタインの影響なのだが、哲学者のなかには、「自分はもっぱら概念を明確にしているのであって、仮説を立ててエビデンスに照らしてそれを検証したり反証したりといった理論的活動には関わっていない」と自認する人たちがいる。仮説を立ててテストをするのは自然科学に特有の作業であって、哲学とは異質なものであるという考えだ。こうした姿勢は、往々にして、奇妙に独善的なスタイルの哲学へと行き着く。彼らの哲学観からすれば、冷静に考えるかぎり、自分たちの哲学的論証――とくに、出発点にあたる前提――への異論などありえないはずだからだ。「自分はただ混乱を収めようとしているだけなんだ」という人の眼に、反対論者が混乱に足をすくわれているように映じるのも不思議ではない。

例をあげよう。数学の哲学の研究者には次のように考える人がいる。数学とは数や集合といった数学的対象の研究である。こうした対象は時空間のなかにないにもかかわらず、そこに座を占める対象とまったく同じように実在している。このような見方をプラトニズムという。プラトンの形相説に似ているからだ(プラトニズムという言葉は、英語ではplatonismのように小文字のpで綴る。大文字でないのは、プラトニストが細部まではプラトンの考えに従おうとしていないからである)。現代のプラトニストで誰よりも有名なのは、あらゆる時代を通じてもっとも偉大とされる論理学者の一人、クルト・ゲーデル(一九〇六―七八)だろう。混乱の診断をみずからの務めとする哲学者は、プラトニストをたびたび非難の標的にする。いわく、彼らは「7という数」のような数学の言葉の意味と、上述の「ドナウ川」や「空の箱」のような時空間に位置を占める通常の対象を表す言葉の意味とを混同している。「ドナウ川」も「空の箱」も対象を指示するのに使う言葉だから、「7という数」や「空集合」も対象を指示するものとして使うしかないと、浅はかにも思い込んでいるのだ――。こうした上から目線の診断をくだす人びとは、論理学や数学の知識の点で、自分たちが一笑に付す見解をいだくプラトニストに遠く及ばないのがふつうである。少なくともエビデンスは、彼らの診断を支持していない。大半のプラトニストは、言葉のアナロジーからそうした見解を余儀なくされたとは思っていない。ゲーデルと同じで、彼らがプラトニズムを受け入れるのは、そうせずには数学者の営みを十分に説明できないと考えるからなのだ。学説としてのプラトニズムが正しいにせよ誤っているにせよ、たんなる混乱にもとづいているわけではないのである。

概念とイメージ

「混乱」という概念そのものに混乱があるのだろうか。「概念の明確化」という概念それ自体を明確にしなければならないのだろうか。根本にあるのは「概念」という概念がはらむ問題、堂々めぐりにならないように言うなら、「概念」という言葉の問題である。「女性」という言葉にもその種の問題がいくつか見て取れる。「女性」という言葉で二人の人間が同じ概念を表現するには何が必要だろうか。学生時代、哲学者のヒラリー・パットナムについての記事を最初に読んだとき、筆者はパットナムをてっきり女性だと思った。それまで自分が出会ったヒラリーはみな女性だったからだ。あとでヒラリー・パットナムが男だと知ったとき、筆者の女性概念はわずかでも変化しただろうか。筆者のいう「女性」は違う意味になっただろうか。もしある言葉を使って表現した信念のわずかな変化でその意味も変わるとしたら、同じ言葉で二人の人間が同じことを意味するのは――あるいは、同じ一人の人間が少し時間をおいて同じことを意味するのは――きわめて難しくなってしまうだろう。自分のポケットにボールペンがあることを筆者は知っている。

でも、この本を読んでいるあなたはそれを知らない。この場合われわれは、「ボールペン」という言葉で厳密には同じことを意味してはいないのだろうか。そうした情報まで残らず概念に含めてしまうと、概念の問題と概念以外の問題を都合よく区別できなくなってしまう。そうなると、概念の問題を問うことこそ哲学に固有の仕事であるという考え方も危うくなる。

概念とイメージが区別されることもある。辞書の定義に似ているのが概念だ。たとえば、英語のvixenという語は辞書では「メスのキツネ」と定義されるだろうが、vixenの概念もメスのキツネという概念とちょうど重なる(手もとの辞書でvixenを引くと「口やかましい女」というもうひとつの定義が載っているが、これは別概念になる)。それに対して、概念ではなく生身の動物としてのvixenのイメージには、この語を(メスのキツネという意味で)用いて表現されるあらゆる信念が含まれる。筆者のvixenのイメージには、一頭が自宅の物置きに住み着いているという筆者の信念も含まれる、といった具合だ。この点は概念としてのvixenと異なるところである。概念を教えるのが辞書、イメージを伝えるのが百科事典といってもいい。概念とイメージをこんなふうに区別するならば、概念についての問いは特別な重要性を帯びたものとなる。なにしろそれは定義に関わるからである。概念を明確にすることは、言葉を定義することを意味するわけだ。

概念とイメージを区別するメリットのひとつは、知識が人から人へと伝達され、長期にわたって保持されることを説明できる点である。イメージは個人的でつかのま持続するだけだが、定義は多くの人が共有して安定したものとなりうる。実際、vixenという言葉は、何百万人もの英語の話者にとってはるか昔から「メスのキツネ」と定義されてきた。

概念を定義とみなす見方は、概念分析を哲学の本務とする考え方を支えてもいる。vixen の概念がメスのキツネという概念と同じだとすれば、vixen の概念はメスの概念とキツネの概念が組み合わさったものとして分析できる。もちろん、哲学者は vixen の概念にことさら興味があるわけではない。彼らが願うのは、哲学にとってもっと重要な、知識や意味や因果などの概念を分析することである。

とはいえ、こうした辞書的定義モデルもさほど役に立つわけではない。「赤」などの色を表す語でさえ、日常的な理解は、辞書的定義よりもむしろ、赤いものを見て赤と認識するわれわれの能力に深く関係している。たいていの言葉がそうだ。定義にもとづいて「ネコ」や「椅子」や「銅」を理解する人などいはしない。日本語を話す社会の一員でありさえすれば、水鳥の鵜《う》は見分けられなくても、「鵜」という言葉を使うことはできる。鵜に詳しい人がそこにはいるからである。日本語を話す能力をもつ者として、われわれは「知る」「意味する」「引き起こす」といった哲学的に興味深い言葉を理解しているが、それは辞書にあるような定義を知っているからではない。そうした定義を与えようとする哲学者の試みは、昔から失敗の連続だった。にもかかわらず、われわれは自分の鍵のありかを知っていることと知らないこととの違いがわかるし、「バンク」で土手を意味することと金融機関を意味することとの違いがわかるし、窓ガラスの破損を引き起こすことと引き起こさないこととの違いがわかるのだ。

概念分析を好む人の大半は、辞書的定義モデルの不十分さを承知している。それでも彼らは、概念的真理と概念的でない真理との区別を手放しはしない。たとえ概念的でない真理が必然的な真理であってもだ。たとえば、「赤いものは有色である」は概念的真理を表しているといわれる。われわれがいま持っている赤の概念と有色の概念には、かたちはどうあれ、両者を結ぶつながりがとにかく組み込まれているからである。ひるがえって、住民がクジラを見分けられるが、クジラはただの巨大な魚だと全員が思っている孤立した共同体では、「クジラは哺乳類である」という文は概念的真理を表していない。哺乳類であることはクジラがクジラであるための不可欠の条件だが、彼らの概念にはそのつながりが組み込まれていないからだ。哲学者の興味が概念的真理だけにあるとしたら、哲学が肘掛け椅子に座ってできるわけも説明しやすくなるかもしれない。

概念的真理とそうでない真理とは、どうしたら見分けがつくのだろうか。ひとつ考えられるのは、意味を理解したうえで受け入れない人がいるならば、その文は概念的真理を表現していない、という基準である。たとえばわれわれの社会では、「赤いものは有色である」を理解する人の誰もがそれに同意するが、さきほどの想像上の社会では「クジラは哺乳類である」への同意は得られないだろう。しかし、万人の同意は条件としてあまりに厳しすぎるので、概念分析の支持者の参考にはならない。英語を母語とするある知的な人物が red(赤い)と coloured(有色の)という言葉を当たり前のやり方で学んだとしても、あとになって考えが変わり、「有色」という言葉は人種差別のニュアンスが濃くて使いものにならないと判断することも考えられるからだ。[★2] 何についてであれ「有色」という言い方を拒むようになったこの人物が、「赤いものは有色である」という主張に同意することはもはやない。新しい見方が当たり前に思えるようになってしまうと、このような主張は本能的に受け入れられないのである。しかし、文そのものが理解できなくなったわけではない。ほかの話者がふつうの意味で「有色」という言葉を使っても、当たり前のように理解はできる。ところが、英語を話す巨大な社会にこのようなまつろわぬ者が一人でもいれば、「赤いものは有色である」は万人の同意という基準を満たさないことになってしまうのである。同様の例は、どんな概念的真理の候補にも考えられるだろう。概念的真理と非概念的真理とを切り分ける、使いものになる区別が可能かどうかは明らかではないのだ。

明確化と理論化

幸いにも、明確化の価値は概念的なものと非概念的なものの区別には左右されない。人間の探究のなかでもっとも明確で精密な分野である数学について、あらためて考えてみよう。数学ではよく明示的定義が用いられる。しかし、定義の連鎖をたどっていくと、決まって未定義術語に行きあたる。定義が循環したり無限後退に陥ったりすることはない。現代の数学では、そうした未定義術語は、数学の標準的な枠組みを提供する集合論の言葉で与えられるのがふつうである。数学で真っ先にあげられる未定義術語は、集合のメンバーであることを表す記号∈だろう。$x \in y$という式は、x（たとえば7という数）が集合y（たとえば素数の集合）に属することを意味する。「属する」や「集合」のスタンダードな数学的定義はない。入門書では、ごくふつうに言うものの集まりのたぐいがぼんやりと引き合いに出されるが、それがアナロジーとして不十分である旨の断り書きも添えられている。切手収集は、数学とは無関係なのである。しかし、このように定義が欠けていても数学には何の支障もない。数学者には集合についての強力な理論があり、どんな集合が存在するかに関しては、公理によって豊かな情報が与えられているからだ。たとえば、どの集合についても、そのすべての部分集合からなる集合があるという公理や、無限個の要素をもつ集合が存在するという公理、同じ要素からなる集合は同一であるという公理などがそれである。数学上のたいていの目的にとって、この理論は、数学者が集合について明確かつ厳密に推論するのに必要なものを提供してくれるのだ。集合論の公理系は「いかにも」と思える説得力をそなえているが、正面から概念的真理を謳っているわけではない。公理系の内容を理解し、そのうえで正しさを疑うことは十分可能である。もっとも、現代数学の成功はその正しさを強力に証拠立てているわけだが。

集合論の公理を使って「集合論的構造」なるものを定義しようとする試みがある。ある構造が「集合論的」といわれるのは、それが集合論の公理系に従うときである、と考えるのだ。しかし、この試みは意味がない。数学者がそうした定義を使うには構造の理論が必要になるが、それは仮面をかぶった集合論とでも呼ぶべきものになるだろうからである。研究としては何の進歩もなかったといっていい。

哲学のモデルとして、基礎的な数学は、辞書とは比較にならないくらい役に立つ。クリアな推論に必要なのは、自明の「定義による真理」ではなく、明示的に表現された強い理論なのだ。明確であること、明断であることは、不可疑性というもはや神話にすぎない基準を意図したものではない。むしろその意義は、数学の場合と同様、われわれの推論の誤りを可視化することにある。

明確であることの価値を否定する人に出会ったなら、こう自分に問いかけてみよう。「どうしてこの人は推論の誤りをはっきりと際立たせたがらないのだろう?」と。

5　思考実験をする

想像力を働かそう

こんな状況を想像してみよう。男の眼に、遠くで煙とおぼしきものが立ち上っているのが見える。そこで彼は「あそこで何か燃えているな」と考える。実はそのとおり。向こうで何かが燃えているのだ。だがひとつ問題がある。本当はまだ煙は出ておらず、肉を料理するためにちょうど火を熾《おこ》したところというのが真相なのだ。彼が眼にしたのは、肉の匂いに誘われて集まってきたハエの群れだったのである。さてこのとき、彼は向こうで火が燃えていることを知っていると言えるだろうか。たしかに彼は向こうで火が燃えていると信じており、しかもその信念は真である。なぜなら、そこでは実際に火が燃えているからだ。また、彼の信念は合理的でもある。合理的な判断能力をもつ人が同じ状況に置かれて、同じ証拠を手にするならば、たいていは同じ信念を抱くことだろう。しかし、向こうで何かが燃えていることを彼が知っているとはとても思えない。

まぐれで当たったにすぎないからである。ひょっとしたら、火を熾す前にハエはもう集まっていたのかもしれない。つまり、信念が合理的かつ真であっても、知識とまでは言えないこともあるわけだ。

いまの例は、カシミールの仏教哲学者ダルモッタラ(七四〇―八〇〇頃)があげたものである。彼はこれによって知識というものの重要な側面を示そうとした。ただその著作は、欧米の哲学者には知られていなかった。一九五〇年代当時、知識とは正当な(合理的な)真なる信念であるというのが標準的な分析だった。そののち、ダルモッタラとはまったく独立に、アメリカの哲学者エドムンド・ゲティアがそれと似た例を考えついた。一九六三年の短い論文でゲティアは、この例を使って知識の標準的な分析を反駁したのである。論文は認識論、すなわち知識の理論に革命をおこした。知識がたんなる正当な真なる信念にとどまらないとすると、この分析には何が欠けているのだろうか。いまやこれが焦眉の問題となった。多くの答えが寄せられた。だが、どれもが次々と反例の餌食になった。手の込んだ反例が突きつけられるたび、知識の分析もますます複雑化を余儀なくされた。そもそも知識を、信念と真理概念に加えて、さらに別の要素が合わさったものとして分析するのはやめるべきなのかもしれない。ある意味で知識は信念よりも基礎的だからだ。

こうしたエピソードは、具体例がいかに哲学の刺激材料となり導き手となりうるかを物語っている。第一印象で理論に信憑性があり、ひいては説得力に満ちているように思えても、あるいは厳しい訓練をつんだ秀でた知性をもつ思想家たちのあいだで世代を超えてそのように受け止められてきたとしても、的確な反例ひとつで理論は崩れ落ちてしまうのだ。手強い具体例に向き合わなければ、理論を正しくテストすることにはならない。それをしないのは理論を無批判に受け入れるということであり、姿勢としてはあまりに安易というしかない。

哲学に登場する多くの具体例でとくに目を引くのは、それが想像上のものだという点である。さきほど紹介したような事例をダルモッタラが実際に見聞きしたことがあったのか、本当のところはわからない。肝心なのは、実際の出来事かどうかは重要ではないということだ。これがダルモッタラの実体験ではなかったとしてもかまわない。われわれ自身が想像力を働かせればいいのである。たとえ実際にはなかったとしても、この出来事は明らかにありえないことではない。そして、合理的な真なる信念というだけでは知識と呼べないことは、その一事で示せるのである。そ合理的な真なる信念でありながら、知識ではないこともありうるのだ。現実の世界でダルモッタラがあげたような状況をお膳立てして、「向こうで何かが燃えている」と人に思わせるために巨額の研究助成金を申請しても、それはお金の無駄でしかない。なぜならこの事例の教訓は明らかだからである。わざわざ実際に段取りを整えなくても、そうした状況がありうることはわかる。バナナをずっと手にしたまま講義をした経験がない筆者でも、それが物理的に可能であることは知っているのだ。

ダルモッタラがあげたのは思考実験による例である。まず、抱いた信念そのものは合理的で真だと見なせる事例を想像する。検討対象の哲学理論によれば、この事例は知識として認められる。だが、いったん理論を離れて考えれば、明らかにそれは知識とはいえない。したがって、その理論は誤っている。こういう理屈である。

思考実験は、近年の道徳哲学でも大きな役割を担ってきた。たとえばマサチューセッツ工科大学のジュディス・ジャーヴィス・トムソンは、「もし胎児が人(パーソン)ならば、その子には生存権があり、妊娠中絶は誤りである」という主張に対して、有名な思考実験によって異を唱えてみせた。一九七一年の論文で彼女は、妊婦のおかれた状況を、次のような想像上の事例と比較して検討したのだ。ある朝目が覚めると、あなたと背中合わせにヴァイオリンの巨匠がベッドに横たわっていた。しかも彼の循環器系はあなたの循環器系とつながれており、あなたの腎臓は彼の血液を濾過できるようになっていたのである。すべてはあなたを誘拐した音楽愛好家協会が仕組んだことだった。偉大なヴァイオリニストを重い腎臓病から救うには、そうするしか手がなかったのだ。血液型がぴったり一致するのはあなたしかいない。長期間(数年かもしれない)二人がつながれたままなら、彼は恢復するだろう。だがそうでないと、彼は死をまぬかれない。ヴァイオリニストはいうまでもなく人であり、そうである以上生きる権利がある。だがそれは、彼が恢復するまで、彼とつながれたままでいる道徳的義務があなたにあることを意味するだろうか。並みはずれて無私無欲の人なら「ある」というかもしれない。だが、ふつうはこう答える権利が認められるのではないだろうか。「お気の毒ですが、私にも自分の人生があります。あなたの命を救うために多くを犠牲にするつもりはありません。医師にお願いして、このチューブを外してもらいます」たしかにヴァイオリニストには生きる権利がある。しかし、もしこうした答えが許されるのなら、胎児に生きる権利があっても母親が中絶することは許されるのではないか——。哲学者たちが、トムソンの事例と妊娠中絶とのあいだに、道徳上の重要な違いを見つけようとしてきたことは言うまでもない。しかし彼女の思考実験は、胎児を人と認めるだけでは中絶の道徳的是非の問題が決着しないことを示したのであり、それによって議論を前進させたのである。ダルモッタラのケースと同じで、トムソンの事例が想像にとどまるからといって、彼女の主張の説得力が削がれるわけではない。たとえ現実の世界でこの実験をしたところで、その行いは倫理に反するだけでなく、道徳的問題のありかを明確にすることにもつながらないのだ。

思考実験と本物の実験

思考実験は広く用いられているとはいえ、どこか人を騙している印象もなくはない。事実、物理学者は実際に実験をして結果を観察しなければならないわけで、実験を想像したり、その結果の観察を想像したりするだけではすまない。では、なぜ哲学者には、肘掛け椅子に身をゆだねての想像が許されるのだろうか。

ひとつの答えはこうだ。哲学の理論には、なにかしらの一般的に成り立つ主張が求められる。あらゆる現実のケースだけでなく、あらゆる可能なケースでも成り立つ主張である。そうした必要性の認識があるからこそ、肘掛け椅子で想像することが認められるのだ、と。たとえばゲティアが批判したのは、「合理的な真なる信念なくして知識はなし」とか「知識なくして合理的な真なる信念はなし」と唱えた哲学者たちだった。かりにゲティアが標的にした哲学者がもっと穏健で、合理的な真なる信念なき知識も、知識なき合理的な真なる信念も現実には存在しないと主張しているだけなら、合理的な真なる信念はもっていても知識はもたない実在の人物をあげさえすれば、相手を論駁したことになるだろう。おしなべていえば、哲学では、あらゆる可能なケースについての主張のほうが現実のケースにかぎった主張よりも得るところが多い。前者の方が、研究対象——たとえば知識——の根本的な性質についてもっと多くのことを教えてくれるからである。それに対して、現実のケースにかぎった一般論はたんなる誤解の産物にすぎず、ラッキーな偶然でたまたま真になっただけなのかもしれない。偏りのないコインを実際に投げれば、表ばかりが出ることもある。けれども可能性としては、裏が出ることも当然考えられるのだ。

もうひとつの答えとしては、哲学者だけでなく、物理学者も思考実験をしている点を指摘できるだろう。軽いものより重いものが速く落下するという説を批判するのに、ガリレオは思考実験を用いた。重い物体と軽い物体をひもで結んで塔の上から落下させる実験である。くだんの説に従えば、ひもがピンと張ると、軽い方の物体は重い物体の落下を遅らせるはずだ。しかし、二つの物体はひもで結ばれていっそう重い一個の物体になったのだから、どちらの物体よりも速く落下するという結論もこの説からは導かれてしまう——そうガリレオは推論したのである。アインシュタインも思考実験からヒントを得ている。光に乗って移動したら何が見えるだろうかと考えたのだ。[★1]

理論を深化させるには、どうやってテストするかを考察すればいい。これは哲学や物理学だけでなく、どんな分野にも言えることだ。きちんとテストをするには、理論から何が帰結するか、さまざまな状況で理論から何が予測されるかを明確にする必要がある。しかし、そうしたシナリオは数にかぎりがない。たとえば、物理学者が頭を悩ませる素粒子の配置には無数の可能性がある。哲学者が気に病む複雑に絡み合った道徳的要素もしかりだ。ありうべきケースをひとつひとつ検討するなどできるはずもない。とはいえ、その多くは予測に面白みがなく、理論のテストとして得るところのないケースである。理論的に面白い予測が成り立つのがすぐれたシナリオだとすれば、理論のテスト材料として、そうしたすぐれたシナリオを考案すること自体がひとつの技なのだ。そのシナリオに関して、理論から導かれた予測が正しければ、理論を裏づける大きなエビデンスになる。予測が間違っていれば、理論を否定する大きなエビデンスになる。可能な状況を思い描き、理論がそれについてどんな予測を下すかを考えることは、思考実験そのものなのである。適切なシナリオ探しは、ややもすれば簡単な作業に思われやすい。ひとたびそうしたシナリオを聞かされれば、造作なく理解できてしまうからである。しかし、多くの場合、最初に思いつくところが技の見せ所なのだ。

想像したシナリオについて、理論の予測が正しいかどうかをチェックするのが次のステップである。周知のように、可能な状況を現実に移して結果を観察する——すなわち実《じっ》実験をする——のが自然科学のやり方である。ガリレオがピサの斜塔から重さの異なる玉を落下させて、同時に地面に到達するかどうかを調べたというのは神話かもしれないが、同様の実験は時をおかずにほかの科学者によっておこなわれている。しかし、シナリオの現実化だけが理論の予測をテストする方法ではない。必要なのは、理論とは独立に、予想が正しいかどうかをしっかりと判断できることである。しかるべきシナリオが想像できれば、この判断はたやすいかもしれない。たとえばわれわれ人間には、知識に関する哲学のどんな学説にも依拠することなく、実際的なケースで知識と無知との違いを見分ける能力がある。あなたの今朝の起床時間を誰が知っていて、誰が知らないかを見分けるといったことだ。そして、この能力をダルモッタラの現実味のある思考実験に適用すれば、くだんの人物の信念は「知識」と呼べないことがわかる。ダルモッタラの描いた可能的状況をわざわざ現実化するまでもない。

思考実験には、比較的たやすく実行に移せるものもある。ガリレオの実験を実際にやるのはいたって簡単だ。ダルモッタラの実験のシナリオはもう少し手が込んでいるが、現実離れしているわけではない。だが、トムソンの実験には医学の進歩が必要である。それに対して、アインシュタインの実験はそもそも物理的に不可能だ。光に乗っての旅などありえないからである。

哲学者の思考実験には、ダルモッタラやトムソンよりもはるかに現実離れしたものがある。ギュゲスの魔法の指輪を嵌《は》めた者は、思うままに透明人間になれるという。プラトンはこの指輪のアイデアを利用して、犯罪を犯しても捕まって処罰される心配がないとき、人はどう振る舞うかを考察した。オーストラリアの哲学者デイヴィッド・チャルマーズは、心が物質に還元できないことを論証する試みのなかで、ゾンビが存在する可能性を説いている。われわれと分子レベルでそっくりでありながら、われわれとは違って意識経験をもたないレプリカがゾンビだ。彼らの内面は暗黒に染め抜かれている(図4)。たしかに彼らとわれわれは違う。だがその違いは物理的なものではない、というのがチャルマーズの主張である。

図4　デイヴィッド・チャルマーズと瓜二つのゾンビは向かって左側

思考実験の目的が刺激的な頭の体操だけならば、シナリオの実現が不可能であっても害はない。プラトンの透明人間になれる指輪や、アインシュタインのいう光に乗っての移動がそのたぐいだろう。しかし、思考実験を理論への真摯な異論として活用するには、シナリオが実現可能かどうかが鍵になる。たとえば、ダルモッタラのお話に矛盾が隠れていれば、「知識とは合理的な真なる信念である」という説を反駁する材料にはならない。ゾンビなどそもそもありえないとなれば、チャルマーズも、「心は物質に還元可能である」という説の攻撃材料にゾンビを利用するわけにはいかなくなる。

想像によって知る

シナリオが実現可能かどうかは、どうすればわかるのだろうか。筆者がダルモッタラのお話を読んだときは、遠くで煙らしきものが見えるさまを想像し、次にそばまで近寄って、熾したばかりの火にあぶられてジュージューと音をたてる肉や、あたりを飛び回るハエなどを思い描いた。こうしたことは明らかに起こりうる。ではゾンビはどうだろう。もちろん、デイヴィッド・チャルマーズと外見的に見分けがつかない何者かがキーボードに向かって、『意識する心』なる本を執筆しているさまを想像することはできる。しかし、それがチャルマーズ本人ではなく、彼と瓜二つのゾンビであるためには、この存在に意識経験が欠けていることも想像しなくてはならない。ゾンビの立場に立って、いわば内側から想像するわけにはいかない。ゾンビにそうした内面はないのだから。頭に詰まったものが灰白質だとしても、そこに意識的な視点といったものはない。筆者が暗闇を想像するとき、実際に思い浮かぶのは暗闇の意識経験である。だが、そうした経験は定義によってゾンビには欠けているのだ。結局のところ、ゾンビを外から眺めて、ただこう独りごちるしかない――「これに意識経験はないんだ」と。想像としてはこれ以上ないほど慎《つつ》ましいものである。実際、ゾンビの可能性を否定する哲学者は少なくない。チャルマーズと分子レベルで同一のレプリカなら、本人と同じように意識があるはずだと彼らは考えるのである。ゾンビの定義そのものに論理的な矛盾はないかもしれない。しかし、だからといってゾンビは可能だという話にはならない。この本を読んでいるあなたが数の7であるという仮説にも、純粋な意味での論理的矛盾はない。でもそれはありえない。どんな数もあなたではありえなかったのだ。ゾンビ仮説も、論理のレベル以外の似たような不可能性をはらんでいるのかもしれない。

どれが実現の可能性がある仮説でどれが不可能な仮説なのか、はっきりしないこともある。一部の思考実験にとって、たしかにこれは悩ましい問題だ。しかし、思考実験がみなそうというわけではない。ダルモッタラのシナリオが実際に起こりうることに合理的な疑いの余地はない。それが可能であることは、きちんと想像してみればわかる。だが想像力を働かせることでわかるのはそれだけではない。こうしたシナリオでは、向こうで何かが燃えていると正しく合理的に信じている人でも、向こうで何かが燃えていることを知っているとはいえない。重要なのは、想像力の働きでそこまでわかることである。

想像によって知るというアイデアは、最初こそ正気の沙汰とは思えないかもしれない。知識と関わりがあるのは事実であり、想像と関係があるのはフィクションではないのか、と。しかし、こんなふうに想像を理解するのは、ステレオタイプとしてもあまりに単純すぎる。ヒトという生物は、空想にふけるためにこうした精巧な心理学的能力を進化させたのではない。ちょっと考えてみれば、すぐれた想像力があらゆる種類の実践的メリットをもたらしてくれることに気づくはずだ。たとえばそれは、将来起こりうる事態に注意をうながしてくれる。そのおかげでわれわれは、危険にあらかじめ身構えたり、好機を逃さないようにしたりといった構えを事前にとることができるのである。森に足を踏み入れたとき、オオカミはいないか、おいしい野イチゴや山ブドウはないかと眼を光らせるのは、想像力の働きによる。何か問題に直面したとき、想像力のおかげで解決策が浮かぶこともある。目的地への道をさえぎる川を前にして想像力を働かせ、いろんな渡渉の方法を探るときがそうだ。

行為の選択肢がいくつかある場合にも、想像力がたびたび発揮される。たとえば、ビバークする場所を選ばねばならないときは、候補地での一夜を想像してどこにするかを決めるのもひとつの手だろう。実地の試行錯誤が大きなリスクをはらむ場合には、想像力がとくに役に立つ。目的地への道が崩落で塞がれているとしよう。安全を考えれば大きく迂回するしかない。ただ、それならば危険もほとんどないとはいえ、一日余計に時間がかかってしまう。できれば崖を登るのが、時間もエネルギーも大幅な節約になるのでいちばんいい。ただし、崖を登りきれない事態も最悪のケースとして考えられる。運がよければ登り口まで戻って来れるだろうが、運が悪ければ滑落して、大怪我を負ったり命を落としたりするかもしれない。このジレンマを解決するために、少し離れた場所から崖を観察して、上まで登れるルートが思い描けるかを試すという手もあるだろう。崖を攀《よ》じる動作の一挙手一投足を想像して、越えられない障害がないかをチェックする。奇跡が起きて、おあつらえ向きの梯子が出現することも想像できなくはないが、もちろんそうした想像に意味はない。ここでそんな梯子が都合よく現れたりしないことはわかりきっているからだ。かわりにわれわれは、この場面で実際に起こりうることを反映した、もっと現実に即した想像をめぐらすことができる。そうした現実的な想像を通じて、崖を登れるか、実際に登ってみて上までたどり着けるかがわかるのだ。迂回するにせよ崖を登るにせよ、賢明な選択にはそうした知識が必要なのである。

実践の場面では、可能性の幅を広げすぎないことが想像の仕方としてはすぐれている。可能性が多すぎると、いちいち検討できないからだ。想像するのは少数の可能性だけ。いちばん役に立ちそうなもの、つまり実践面とのつながりのある可能性だけである。そうした想像であれば、生き残れる見込みも増す。またそれは、未来を予測する能力とも密接につながっている。いまにも壊れそうなオンボロの橋を誰かが渡り始めたのを見て、橋の崩壊を予想する。あるいは、たとえ誰も渡ろうとしなくても、自分が渡ることを想像して、橋が崩壊するのを予想し、無理して渡るのを止めて自分の命を守る、といったように。そうした想像の精度と信頼性は、進化的圧力によって、長い時間をかけて向上していくのだろう。

想像することは、仮想の可能性について知るもっとも基本的な方法である。思考実験で想像力が駆使されるのも当然といえば当然だろう。思考実験は、哲学者や少数の変わり者だけがする、勝手気ままないかがわしいものではない。仮想の可能性を考えないのは、もっとも愚かな動物だけだ。われわれが仮想の可能性を考えるときは、人間として当たり前のやり方で、想像力を働かせて考えるのがふつうである。思考実験は、理論的探究を目的として、それを少しだけ入念に、慎重に、熟慮を重ねながらしているにすぎない。思考実験がなければ、人間の思考はきわめて貧弱なものになってしまうだろう。

直観の働き?

残念なことに、哲学者のなかには、哲学の思考実験を実際よりもはるかに特別で神秘的なもののように言う人がいる。「ダルモッタラの話に登場する男は向こうで何かが燃えていることを知らない」と判断するとき、われわれは「男は向こうで何かが燃えていることを知らない」という直観に従っている、というのが彼らの見立てだ。「直観」という言葉には、正しいにせよ間違っているにせよ人の導き手となる、魂の奥底から聞こえてくる摩訶不思議な神託といったイメージがある。

問題を明確にするために、「直観」が働くのは想像に関してだけではない点にまず注意しよう。うえで述べたように、「彼が知っているとは言えない」と判断する場合、仮想的なシナリオを想像しようと、それと同様の現実の出来事を観察しようと、たいした違いはない。哲学的には結局同じことだ。「直観」派に言わせれば、現実のケースでも、われわれは直観にもとづいて「彼は知らない」と判断しているのである。さらに彼らによれば、われわれが直観に頼るのは勘違いしやすい厄介なケースばかりではない。当たり前のありふれたケースでも直観が用いられるというのだ。たとえば街で見知らぬ人とすれ違ったとする。このとき、われわれは直観的にこう判断するだろう。その人は、私が歩いているかどうかは知っているけれども、私のポケットに硬貨が入っているかどうかは知らない、と。また、話題が哲学者の興味の対象かどうかも重要ではないという。見知らぬ他人がおしゃれな服を着ていると判断する場合も、やはり直観に頼っていると考えるのである。

直観の働きなしには、どんな判断も下せないのだろうか。そうした考え方は、直観というカテゴリーを無闇に広くとらえており、かえってこの概念の利用価値を奪ってしまいかねない。そこで一部の哲学者はカテゴリーを狭めて、直観的判断(直観にもとづく判断)とはエビデンスからの推論によらない判断のことだと考えるのだ。しかし、これでは逆に狭めすぎの恐れがある。ダルモッタラの指摘したシナリオが現実となったケースでは、「向こうで何かが燃えていることを彼は知らない」という判断を直観的なものと見るのが直観派の考えだった。ところがこの判断は、実際にはエビデンスにもとづいている。問題の人物がハエの群れを煙と見誤ったことなどがエビデンスとして利用されているからだ。ダルモッタラのシナリオが想像にとどまる場合でも、「彼は知らない」という判断を支えているのは同様の根拠である。もしこのような判断の根拠づけを「エビデンスにもとづく推論」と呼べるのであれば、思考実験での重要な判断はどれもエビデンスにもとづく推論の結果ということになり、直観的判断とは呼べなくなってしまう。

直観派には、もう少し有望なカテゴリーの狭め方もありそうだ。意識的な推論のプロセスにはもとづかない思考を直観的思考と見なすのである。たとえばダルモッタラのお話で、筆者は「彼が知っているとは言えない」とすぐさま判断したが、この判断は直観的なものと見なすことができる。たとえそこに推論のプロセスが介在していても、筆者はそれを意識していないからである。これに対して紙と鉛筆で長々と計算をする場合、そのプロセスは意識されているので、導き出した答えは直観的なものとは見なされない。ところが、このようなかたちでの直観的判断と非直観的判断との区別には、ゆるがせにできない帰結がともなう。あらゆる非直観的思考が、直観的思考に依拠することになるのである。非直観的思考を支える意識的な推論プロセスをさかのぼっていけば、遅かれ早かれ、そうしたプロセスにはもとづかない何らかの思考――つまりは直観的思考――にたどり着くからだ。したがって、哲学が直観に頼るからといって、哲学だけが特別というわけではない。ものを考える作業は、例外なしに直観的思考を支えとしているからである。物理学者が計算や観測で厳密な推論を意識的に積み重ねるときでも、やはり直観的思考が支えになっている。物理学者といえども、考えるという作業はどこかから出発しなければならないからだ。

だからといって、彼らの考えが不合理だということにはならない。合理的思考には、少なくとも何らかの直観的思考が含まれているというだけの話である。

近年、一部の哲学者のあいだに、哲学者は直観に頼るべきではないという主張が見受けられる。「そもそも哲学者は直観など当てにしていない」とまで言う者もいる。この論争は、「直観」の意味するところについて混乱があるために起きたものだ。とはいえ、かりに哲学者が直観に頼っていることを認めたとして、思考実験で「彼が知っているとは言えない」といった判断に直観が用いられている点に関しては、ほぼ合意が成り立っている。しかし、この判断が例外的かといえばそうではなく、結局さきほど述べたように、人間のあらゆる思考はある特殊なタイプの思考に支えられていると考えざるをえないのだ。というわけで、哲学者は直観に頼るべきではないという立場も、そもそも頼っていないという立場も、到底うまくは行かないのである。

ただし、「直観的」思考がどれも合理的だということではもちろんない。なかには偏狭で、独断的で、箸にも棒にもかからないものもある。われわれが現実のケースで下した判断が先入見で歪んでいるとすれば、その先入見は思考実験で下された判断も歪めていることだろう。たとえば実生活で動物の苦しみに無頓着な人は、それをテーマにした思考実験でも同じ態度をとるのではないだろうか。

バイアス

哲学での思考実験の信頼性をめぐる最近の懐疑論は、その多くが今世紀初頭に哲学者たちがおこなった実際の実験に由来している。哲学者以外のたくさんの人に標準的な思考実験をしてもらい、どう判断するかを調べるという実験である。結果はどうだったか。どうやら思考実験によっては、東アジアの文化を背景にもつ人はヨーロッパの文化を背景にもつ人と違った答えを出し、女性は男性と違った答えを出すらしいことが示唆されたのだ。思考実験を大きな根拠にする哲学の伝統では、おもに白人男性が判断を下してきた。しかし、たとえわずかであっても、白人は非白人より思考実験の判断にすぐれているとか、男性は女性よりもましな判断が下せるなどといったことが本当に言えるだろうか。

最近、この種の実験が頻繁にやり直されるようになっている。ただし、専門の訓練をつんだ心理学者と連携しての、もっと慎重な実験だ。その結果見えてきたのは、これまでとはまったく違う光景である。概して、民族やジェンダーの異なる人びとのあいだの統計的な差が消え失せてしまったのだ。従来の研究で見つかった差は、実験の参加者の選び方や、思考実験でどのシナリオを提示するかなどの点で微妙な歪みがあって生じたものらしい。研究の妨げとなるこうした見落としがちな交絡因子は、心理学者がつねに警戒を怠らぬようトレーニングされているものである。しかし哲学者にはその訓練がない。新たなエビデンスから浮かび上がった展望によれば、哲学での思考実験に対するわれわれの反応の根底には決まったパターンがあり、それは民族やジェンダーを問わず、人が誰しもそなえている認知能力と奥深い関係にある。この章の初めでとりあげた思考実験を見れば納得してもらえるだろう。ダルモッタラは八世紀のカシミール地方で活躍した仏教徒だが、筆者は二一世紀のイギリスに生きる無宗教の人間である。ジュディス・ジャーヴィス・トムソンは女性だが、筆者は男性である。こうした違いがあるにもかかわらず、筆者は彼らの思考実験に説得力を認めるのだ。

この話にはまだ続きがある。とどのつまり、万人の意見が一致しても、それが真であることにはならない。たとえば、人類はこの宇宙でもっとも賢い生き物であるとすべての人が認めたからといって、われわれが実際にそうであるは言えないのだ。ある思考実験で誰もが同じ判断を下して、しかもそれが間違った判断だとしたらどうだろうか。たしかに想像力を駆使しての思考実験の評価は、おおよそ信頼してかまわない。その理由はすでに見ておいた。しかし、文字どおり完全に信頼できると考える理由はない。むしろその逆だ。現実のケースでわれわれが判断を誤ることとは珍しくない。そうであれば、思考実験での判断も無謬であるはずがない。しかし、「だから思考実験を使ってはダメ」ということではない。人間の能力は例外なしに誤りうるものなのだから。むしろこれが意味するのは、思考実験だけに頼るのではなく、ほかにもいろんな方法を利用すべしということだ。思考実験の判断でときおりミスを犯しても、ほかの方法を併用していればその誤りに気づきやすくなる。たとえそれがヒトという種に広くはびこる誤りであったとしても。たとえば、エビデンスにもとづいて、体系的な一般理論を展開するのもいいだろう。惑星上に生命が発達する可能性について体系的な一般理論が構築できれば、「われわれが宇宙でもっとも賢い生き物である」などという与太話を信じる人も減るのではないだろうか。

長い目で見れば、認知科学の研究は、実験哲学(X-phi)と呼ばれる運動とともども、人間の思考にもともとそなわるバイアスを明らかにし、それに抗する一助となるかもしれない。他人のバイアスだけでなく、自分のバイアスに対してもそうだ。こうした効用が期待できるのは哲学のバイアスだけではない。考えるという作業に関するかぎり、哲学もそのほかの分野もたいした違いはない。われわれが生来かかえるバイアスが、数ある研究分野のうち哲学にだけ歪みを生じさせるなどといったことは、およそ考えられないからである。

6　理論を比較する

万物の理論

　ほかの分野の理論がそうであるように、哲学の学説も何らかの問題に対する答えを述べている。もちろん簡単な問題ならば、よほどのことがないかぎり、答えが「説」などと大仰な名前で呼ばれることはない。「パン切りナイフはどこ？」と聞かれて「そこだよ」と答えても、これを「説」とは言わないのと一緒だ。しかし殺人事件の捜査では、担当の刑事が、消えたパン切りナイフは近くの森にあるという「説」を立てることもあるだろう。科学者が取り組む問題はもっと一般的な性格をもつのがふつうである。だが哲学者の場合、問題の一般性はさらに極端になる。

　哲学と自然科学との区別がまだなかった頃、人びとは「世界は何からできているのか？」と問うた。古代ギリシャの最初の哲学者といわれるタレス（前六〇〇頃）の答えは「水」だった。これと密接な関係にあるのが、「万物は物質でできているのか？」、つまり「万物は物質的か？」という問いである。これに「イエス」と答えるのが唯物論だ（唯物論といっても、「大切なのはお金だけ」という通俗的な意味ではない）。唯物論の哲学者は古代のギリシャやインド、中国で活躍した。その後登場した唯物論者にはトマス・ホッブズ（一五八八―一六七九）やカール・マルクス（一八一八―八三）などがいる。

厳密に考えれば、唯物論は近代科学の知見にそぐわない。近代科学で「ある」と認められる電磁場や時空間などは物質ではないからだ。そのため現代哲学では、唯物論は、「万物は物理的である」と主張する物理主義に取って代わられた。「物理的」というのは、物理法則が支配するあらゆるものという意味だ。そこには物質だけでなく、電磁場も時空間も含まれる。「この世界を物理学が描くとおりに受け取ろう。それでおしまい。ほかには何もない」と物理主義者は言う。もちろん、現在の物理学ですべてが決まりという意味ではない。物理学は進歩し続ける。いずれは現在の理論もあちこち不完全で誤っていることが明らかになり、将来もっとすぐれた理論に取って代わられるだろう。そうした発展は物理主義者も認める。彼らのいう「物理法則」は、「今日の物理学者が物理法則と見なすもの」という意味ではないからだ。近年の哲学者では、ウィラード・ヴァン・オーマン・クワイン（一九〇八―二〇〇〇）が物理主義者の筆頭格にあたる。

物理主義がなぜ物理学ではなく哲学の立場なのか、疑問に思う人もいるかもしれない。理由は、この立場でいわれる「万物」が掛け値なしに「すべてのもの」を意味するからである。たとえば、もし数が存在するとすれば、「万物」には数が含まれるので、物理主義によれば数は物理的なものということになる。もし心が存在すれば、「万物」には心も含まれるので、物理主義によれば心は物理的なものだということになる。けれども、「数は物理的なものか？」や「心は物理的なものか？」という問題は物理学の問題ではない。物理学で用いられる数学や実験の手法だけではその答えは導けない。そうした手法では、みずからの守備範囲ではカバーできない問題や答えがあるかどうかさえ定かでない。その種の問題を考えるのは哲学者なのだ。

物理主義が正しいにせよ間違っているにせよ、その考え方は、われわれが生きるこの世界を——自分たち自身も含めて——理解するうえで、もっとも重要な問題に答えようとしている。物理学、もっといえば自然科学では知りえない一面が実在にはあるのか、という問題である。この問題に頭を悩ませなくても、物理学者は自分たちの研究を進めることはできる。だが、もし誰かがそれを考えなければ、人類は悲しいまでに好奇心も思慮もない生き物ということになってしまう。しかも、ただなんとなく首をかしげるだけでは十分ではない。せめてこの問題に答える努力くらいはすべきではないだろうか。もちろん、物理主義に対しては、誰が「イエス」と言おうと「ノー」と言おうとかまわない。必要なのは、その答えを選んだまっとうな理由である。そして、その理由を探し求めること自体がすでに、哲学をするということなのだ。哲学の理論に関わることのない人生は、思慮や探究の深みに欠けた人生といっていい。

思考実験で理論をテストする

哲学の理論のテストには思考実験が利用できる。物理主義への異論としてチャルマーズが発案した、ゾンビの思考実験を例にとろう。ある朝あなたは、目が覚めるという意識経験、目覚めの感じの経験をする。そうした経験はすべて物理的なものだ、というのが物理主義の立場である。物理主義者のなかには、その経験は脳内の物理的事象、ニューロンの複雑な発火パターンにほかならないと考える人もいるだろう。しかし、それと寸分違わぬ物理的事象は、あなたと瓜二つのゾンビの脳でも起きる。ニューロンがまったく同じパターンで発火するのである。その朝あなたは目が覚めるという意識経験をした。だが定義により、瓜二つのゾンビにその経験はない。あなたが覚えた感じは、ゾンビが覚えるであろう感じと同じではない。そもそもゾンビが何かを感じることはない。したがって――とチャルマーズは言う――あなたの意識経験は脳内の物理的事象と同じではない。この論法を敷衍すれば、あなたの意識経験はいかなる物理的なものとも同じではないことになる。これは物理主義の唱える理論への反例、非物理的なものの例にほかならない。そこでチャルマーズは物理主義を誤りとして退けるのだ。

このゾンビ論法に物理主義者はどう応えることができるだろうか。この異論に対して、彼らは「ゾンビなるものがありそうに見えても、それは幻想にすぎない」と応じるのがふつうである。目が覚めるというあなたの経験は、あなたの脳の中で起きた物理的事象にほかならない。両者は表裏一体で、どちらか一方だけが可能ということはない。したがって、あなたと瓜二つのゾンビなどありえない、と。しかし、そういうゾンビをともかく想像しようとすると、まるでありうる存在のように思えてしまうのはなぜだろうか。

物理主義者はその理由をこんなふうに説明するかもしれない。人に何かが起きるのを想像する場合、それには二とおりのやり方がある。ひとつは、内側からの、本人の視点に立っての想像。もうひとつは、外側からの、外部の観察者の視点に立っての想像である。たとえば誰かが目を覚ますのを内側から想像する場合には、朦朧として横になった状態で、「仕方がない、起きるか」と思う姿を想像するだろう。一方、目覚めの様子を外側から想像する場合には、部屋の向こう側のベッドで彼女が身体をもぞもぞと動かす光景や、その様子を見て「やっとお目覚めかな」と安堵するさまを想像するかもしれない。その際、一方のやり方だけでも想像ができることは明らかだろう。つまり、誰かが目を覚ますのを内側から想像できなくても、外側からは想像できるわけだ。この外側からの想像に、スキャナーが脳の出来事を記録している情景を付け加えてもいい。あるいは、締めくくりに「何も彼女は感じていない。ひとかけらの意識経験もない。彼女はゾンビだ」という言葉による描写を添えてもいい。しかし、そうした想像ができるからといって、「ゾンビがありうることを知っている」とは言えないと物理主義者は主張する。かりに意識経験がたんなる脳の出来事だとしても、内側から想像せずに外側から想像することはやはり可能なのだ、と。つまり物理主義者は、ゾンビがありうる存在のように思えるのも、二とおりの想像の仕方がそれぞれ独立に可能であることから生じたありきたりの幻想にすぎない、と反論できるのである。

とはいえ、それで反物理主義の陣営が押し黙ることはない。なかにはこう反論する者もいる。「もしゾンビが本当にありえないとすると、ゾンビという観念には論理的な矛盾が含まれているはずだ。だがそんな矛盾など、いくら探しても見つかりはしない」

物理主義者も反論する。論理的矛盾だけが不可能なのではない。事物の性質によって不可能なことだってある。たとえば、あなたが7という数であることはありえない。でも、あなたが7という数であると考えることに純粋な論理的矛盾は一切ない、と。こうして論争は続いていく。

思考実験だけで哲学ができると思ってはいけないというのが、ゾンビの事例の教訓である。思考実験が何を示しているかで、すでに意見が分かれてしまうこともあるからだ。問題はほかにもある。たとえば、可能性とはいったい何なのかという、もっと理論的な検討を要する問題もそのひとつである。

幸いにも、哲学の思考実験にとってゾンビの事例は典型的なものではない。多くの思考実験では、結果について広く合意が成り立っている。ゾンビの事例では、二とおりの想像の仕方がそれぞれ独立に可能であるという事情が都合よく働いていたが、そのような問題含みの点もそこにはない。とはいえ、無批判に受け入れることのないよう、思考実験のそうした危うい側面に注意を怠ってはならない。そのためには幅広い理論的視点に立って、思考実験が何を意味し、そこにどんな落とし穴が潜んでいるかを見極める必要がある。

ここまでの説明は、自然科学でおこなわれる実験による理論のテストとかけ離れた話に聞こえるかもしれない。科学の理論からは実験で観察されるものの予測が導かれるというのが、世間一般のイメージだからだ。実験をして観察するというのは確かにそのとおりである。観察結果が理論の予測どおりなら理論は確証される。観察が予測と食い違えば理論は反駁される。すべてはいたって明快であり、哲学的な思考実験に見られるような議論の余地は少しもなさそうな印象である。

だがこのありきたりなイメージは、実験による科学理論のテストを単純化しすぎている。そういえる理由は少なくとも二つある。

第一に、多くの科学理論では、理論だけから観察可能な予測が導かれることはない。理論は数式のかたちで定式化されており、極度に抽象的なため、観察とは直接結びつかないのだ。理論から観察可能な予測を引き出すには、「橋渡し」原理を使って、理論の抽象的名辞を具体的で観察可能なものを表す名辞と結びつけなくてはならない。さらに、実験装置の動作に関する補助的な仮定も必要である。それがないと計りたいものも計れない恐れがある。予測を導き出すには、いろいろと仮定——たかだか近似的にしか成り立たない仮定——を設けて問題を単純化することも重要になる。さもないと、コンピュータでも手に負えないほど計算量が膨れ上がってしまうからである。そういった次第で、たとえ予測が外れても、理論がまずかったせいとはかぎらないのだ。予測を導き出すのに使ったほかの原理や仮定のどれかに問題があったのかもしれない。あるいは、たんなる計算ミスの可能性もある。

第二に、実験ではどんな間違いも起こりうる。科学者も実験助手も人間であることに変わりはない。ときどきミスがあるのは当然だろう。加えて、装置の動作不良や試料の汚染もある。ほかの複数のラボで、ときに若干違った方法で独立におこなわれた実験から同じ結果が得られると、科学者は自分の研究に自信を深めるが、それにはこうした事情が与っている。実験が適正におこなわれたおかげで予測が当たることもあれば、ずさんな実験のために予測が外れることもあるのだ。

要するに、科学理論の実験によるテストは一筋縄ではいかないということである。実験の結果は、往々にして、世間がイメージするような単純明快さとかけ離れているのが実情なのだ。

それにもかかわらず、実験は科学的知識のきわめて重要な源泉をなしている。忘れてならないのは、科学的知識を得ることは恐ろしく面倒な作業であり、意見対立の余地が大いにあるということだ。自然科学で実際におこなわれている実験と哲学の思考実験には、いろんな点で明白な違いがある。しかし、どちらも意見の分かれる余地があるという点では一緒である。予測がひとつ外れただけでは理論を反駁するのに十分ではない。それだけでは、理論以外の何かのせいでうまく行かなかった可能性を排除できないのである。

対抗理論

科学では、ひとつの説だけに注目してテストするのではなく、競合する複数の説を比較することがよくおこなわれる。同じ問題への違った答えを比較するのである。そのなかで、どれがエビデンスをいちばんうまく説明しているかを考えるわけだ。この点は哲学でも同じで、たとえば物理主義だけを取り上げてテストするのではなく、対抗理論と物理主義とを比較するといったやり方がおこなわれている。

理論のテストというと、それを否定しただけの対抗理論との比較ばかりをイメージする人がいるかもしれない。たとえば「アインシュタインの特殊相対性理論（ＳＴＲ）と比べられるのは、反ＳＴＲという否定論、たんにＳＴＲは間違っていると主張する説である。同様に、物理主義と比べられるのは、反物理主義という否定論、たんに物理的なものだけがすべてではないと主張する説だ」と。しかし、そのような否定論はあまりに薄っぺらで実《じつ》がない。一般理論をダメと決めつけるだけで、具体的にどこが誤っているかを指摘していないからである。反ＳＴＲは、それ自体として、ＳＴＲが説明する実験データや観測データを別のかたちで説明してはいないのだ。反物理主義もまた同じ。たんなる反物理主義は、非物理的なものとは何かについて積極的なことは一切語らないのである。大ざっぱにいって、ある理論が「対抗理論」と呼べるには、同じ問題に別の答えを用意するものでなければならない。微妙なケースでは、もとの理論が答えている問題自体を対抗理論が否定することもありうる。ただしその場合は、なぜそうするのが適切かを説明すべきである。対抗理論にはしかるべき中身がなければならないのだ。

物理主義と競合する実のある理論として、二元論がある。これは心的なものと物理的なものという二種類のものを仮定する立場だ。たとえば、思考はメンタルな――つまり心的な――ものであり非物理的だが、物質は物理的で非心的である。筆者が子供の頃、「メンタル」という言葉は「頭がおかしい」という意味で使われたが、ここでは「心ならではの」という意味である。ちょうど「物質的な」という言葉が「物質ならではの」を意味するとの同じだ。この二元論を哲学の主役の座にすえたのはデカルトだが、いまでもこの立場には支持者がいる。

心的なものがあるという二元論の主張には、物理主義者も簡単に異を唱えるわけにいかない。

「心的なものは幻想にすぎない」として切って捨てようとしても、うまく行かないのである。幻想そのものが心的なものだからだ。そこで大方の物理主義者はいま、思考や感情が心的なものであると認めつつも、同時にそれが物理的なものでもあると主張する(このあたりの理論の競合については、Box 2でもう少し詳しい見取り図を描いておいた)。

ゾンビの思考実験に肩入れする人からすれば、この実験は物理主義よりも二元論の立場から眺めたほうがしっくりくる。意識経験は心的なもので、物理的なものではない。あなたにはあるけれども、ゾンビにはないからだ。たとえこの思考実験で物理主義が完全に論駁されないとしても、二元論者はこれを、自説が物理主義よりもすぐれている証拠と受け取るかもしれない。だが批判的立場からすれば、この思考実験はゾンビが可能だとする理由を示しておらず、したがって二元論を支持するエビデンスにはならない。

物理主義や二元論よりも怪しげなのが、万物は心的であると唱える汎心論である。デカルトのすぐあとの世代に属する二人の大哲学者、バルーフ・スピノザ(一六三二—七七)とライプニッツが唱えたのがある種の汎心論だった。そうした見方では、原子にさえ原初的な意識が認められる。今日の哲学者は、大半が汎心論を胡散臭そうに見ているのが実情である。原子に意識を帰属させるなど、やりすぎもいいところだと。

二元論とは異なり、物理主義でも汎心論でも駆使するのは——「物理的」と「心的」との違いはあるものの——統一的なカテゴリーである。ひるがえって二元論は、実在を物理的なものと心的なものという二つの異なる部分に切り分けてしまう。デカルト以後、二元論者はこの二つがどう結びつくのかを説明しようと四苦八苦してきた。とくに問題となったのは、どうして心的出来事が物理的結果を引き起こせるのか、物理的事象がどうして心的な結果を引き起こせるのかという点である。たとえばあるパーティー会場で、照明を落とすことを決心するという心的出来事が泥棒に生じ、それが原因となって泥棒が照明を落とすとしよう。つまり、照明が落ちるという物理的事象が引き起こされたとする。すると今度は、この物理的事象が原因となって、「なんで照明が消えたんだろう?」と疑問に思うという心的出来事が客の一人に生じる。ところが二元論者にとって、心的なものと物理的なものとは根本的に異なるので、両者のあいだのありふれた相互作用は不可解でしかない。その点、物理主義と汎心論は有利である。原因と結果はひとつの統一的な世界のなかに位置づけられるからだ。

物理主義、二元論、汎心論の三つだけが選択肢ではない。たとえば、かりに数などの数学的対象が心的でも物理的でもないとすれば、三つの理論はいずれも修正を余儀なくされるだろう。「心的」と「物理的」という概念についても、哲学者の理解は次第に洗練されていった。筆者はぼんやりと心的な「もの」とか物理的な「もの」という言い方をしたが、結局のところ重要なのは、それがどんな種類の「もの」なのかだ。たとえばそれは、筆者が昨日の朝に感じた暑さの感覚のような、具体的な誰かに起こる一回かぎりの出来事かもしれない。あるいは、暑い感じという性質のような、たくさんの人がいろんなときに経験する、同じひとつの一般的性質かもしれない。個別の出来事については物理主義をとり、一般的性質については二元論をとるという哲学者もいる。しかし、さしあたりそうした細かな問題は気にしなくていい。ここでの狙いは心身問るが，心的なものは存在しないとの立場にたつ．心的なものを消去するわけである．

二元論は汎心論と矛盾する．[2]と[4]から，すべてのものが心的であるとはかぎらないことが導かれるからだ．したがって，汎心論者は，[2]かまたは[4]のどちらかを否定しなくてはならない．ただし両方を否定することはできない．[4]を否定すれば[2]を認めることになるからである．

同一説の汎心論者は[2]を否定して[4]を認める．彼らは，物理的なものがあると考える点で二元論者と一致するが，それはまた心的なものでもあると主張する．物理的なものはみな心的なものと同一であると考えるのだ．

消去主義の汎心論者は[2]を認めて[4]を否定する．彼らは，物理的であることが心的でないことを意味すると考える点で二元論者と一致するが，いかなるものも物理的ではないと主張する．物理的なものを消去するのである．

同一説の物理主義は同一説の汎心論と矛盾しない．両者をひとつに合わせると，万物は物理的かつ心的であるという見解になる．

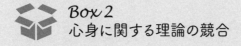

Box 2
心身に関する理論の競合

物理主義……万物は物理的であるという主張.
二元論　……以下の 4 つの主張の連言.

[1] いかなるものも心的かまたは物理的である.
[2] 心的でありかつ物理的でもあるものは存在しない.
[3] 心的なものが存在する.
[4] 物理的なものが存在する.

汎心論　……万物は心的であるという主張.

二元論は物理主義と矛盾する. [2]と[3]から, すべてが物理的というわけではないことが導かれるからだ. したがって物理主義者は, [2]と[3]のどちらかを否定しなくてはならない. ただし両方を否定することはできない. [3]を否定すれば, [2]を認めることになるからである.

同一説の物理主義者は[2]を否定して[3]を認める. 彼らは, 心的なものが存在することを認める点で二元論者と一致するが, それはまた物理的なものでもあると主張する. 心的なものはみな, 物理的なものと同一であると考えるのだ.

消去主義の物理主義者は[2]を認めて[3]を否定する. 彼らは, 心的であることが物理的でないことを意味すると考える点で二元論者と一致す

題の解決ではなく、哲学の論争がどんなものかを確認することにあるのだから。

ヴィトゲンシュタインらの考えとは裏腹に、哲学では、論争が起こった肝心の理由が言葉の混乱にあったためしはほとんどない。もちろん物理主義者も二元論者も汎心論者も、一人ひとりを見ればいろいろ混乱はあるだろう。論争で用いられる言葉も明確化が必要かもしれない。ただ、そうした混乱を解消する後ろ向きの仕事にも、理論的考察という前向きな作業が含まれている（第4章を参照）。しかし、それで能事足れりとするわけにはいかない。われわれには、正面からものごとを積極的に説明する理論が必要なのだ。知り、考え、感じ、意思決定し、行為するという人間の営みが、自然科学の描く世界にどうフィットするかをもっと上手に説明してくれる理論が。選択の候補はいくつもある。そのなかからどれかを選ぶにせよ、あるいはすべてを否定するにせよ、その判断には合理的な根拠がなくてはならない。混乱が解消したあとでも理論選択が必要になることは、近年も含め、哲学の歴史が示すところだ。今日の哲学には、混乱とは無縁の物理主義者も二元論者もいる。自然科学がそうであるように、誤った理論を支持するからといって混乱しているとはかぎらない。ただ間違っているだけである。

物理主義と二元論と汎心論の論争から混乱が取り除かれたとして、その決着をなぜ自然科学者にゆだねてはいけないのだろうか。人が考え、感じ、ものを見て、意思決定するときに脳で起きていることを解明できるのは、基本的に彼ら科学者たちである。もちろん、心的出来事と物理的事象との相関関係を確認することは、相関関係にある両者のあいだに同一性関係を仮定することと同じではない。しかし、心的出来事は物理的事象にほかならないと仮定することがこの相関関係を説明する最善の、もっとも経済的な方法だとしたら、そうした仮定を設けるのは科学のやり方として正しいのではないだろうか。この点に関して、哲学者の出る幕などないのではないだろうか。

ゾンビの思考実験に説得力を認める人は、この実験を考慮しない科学者が何か決定的に重要なことをとらえそこねていると感じるだろう。思考実験の応用にかけては、哲学者ほど習熟している者はいないからだ。しかし、たとえゾンビの存在がありえないとしても、自然科学者にすべての仕事をゆだねてしまうわけにいかない強固な理由がある。われわれが問題にしているのはある特定の心的出来事ではなく、心的出来事のごく一般的なタイプだからである。

そうしたタイプの一例として、5＋7＝12と考えるという心的出来事をあげることができる。人間だけが5＋7＝12と考えることができると決まっているわけではない。これまでのところ、この地球上で人間がそうした考えを抱く唯一の生物だったとしても、いつの日か、未来の生物や高度なロボットも考えるようになるかもしれない。はるか昔、ほかの惑星の住民がすでにそう考えていたかもしれない。かりにこの宇宙で、これまで人間しか5＋7＝12と考えなかったとしても(だが、これはありそうにないことだ)、別の過去もありえただろう。しかし、ロボットやわれわれと根本的に異なる生物が5＋7＝12と考えるとき、その内部で起きていることは、われわれの内部で起きていることと大同小異とは思えない。彼らの脳に相当するものは、人間の脳とは似ても似つかない可能性さえある。百歩譲って、5＋7＝12と考えるとき、かつそのときにのみ人間の脳で起きている一般的タイプの事象を科学者が物理学的に特定できたとしても、そうしたタイプの事象は、人間以外の物理的存在が5＋7＝12と考えるときに起きていることとまず同じではないだろう。したがって、観察と実験という方法には、「5＋7＝12と考えるとはどういうことか？」という問題に満足のいく一般的な答えは望むべくもない。5＋7＝12と考えるという心的出来事のタイプが、何らかの物理的事象のタイプと同じかどうかも、そうした方法ではわからない。一般性のレベルの問題はやはり哲学の問題なのだ。

とはいえ、観察と実験という方法が哲学の問題にとって重要でないということではない。人間の思考をとらえそこなった理論は、あらゆる思考について普遍的に当てはまる理論とはいえない。しかもわれわれは、人間の思考について、人間以外の思考よりもはるかに多くのことを知っている。最終的に目指すものが射程の広い一般理論であっても、人間の事例から出発するのは自然なことなのだ。そして、その目的にいたるには、さらに多くの理論的な方法が必要なのである。

最善の説明を導く推論

哲学で必要とされる理論選択の方法は、自然科学で用いられる方法ほど理屈立ってはいないが、両者に大きな違いがあるわけではない。ほしいのは、手にしうるかぎりのエビデンスをもっともよく説明してくれる理論である。そうした観点にもとづく理論選択の方法を「最善の説明を導く推論」という。自然科学でも哲学でも広く用いられている方法だ(図5)。

「説明」という言い方は狭すぎるという意見もある。「この言葉が意味するのは、問題の事象が

図5　いちばんうまい説明は何だろうか？

なぜ起きたかを因果関係の視点から説明することである。しかし、科学でおこなわれている理論的説明はそれだけではないというのだ。たとえばアイザック・ニュートン（一六四三―一七二七）は、（地球上の物体に関する）従前から知られていた地上の運動法則と（惑星に関する）天体の運動を、もっと基本的な運動の一般法則から導出することで説明した。基本法則は、基本性に劣る法則を「引き起こす」わけではない。法則は事象ではないから、法則は「起こる」ものではないから、というのがその理由である。ニュートンは、基本性に劣る法則群を、ごく単純な、それでいて情報量の豊かな一般則のかたちに統一することで説明した。大半の哲学理論はニュートンの法則がもつ数学の力や明晰さを欠いている。しかし、理論の比較には自然科学と似た規準を用いることができる。単純性、情報量の多さ、一般性、統一力、エビデンスとの適合といった規準である。こうした一般的方法で理論選択をおこなうことを「アブダクション」という。

自然科学でなぜアブダクションが必要かといえば、原理上、ある時点において手に入るすべての観察データや実験データと論理的に矛盾しない理論はいくつも考えられるからだ。データと整合的なまっとうな理論がある場合には必ず、それと整合的なイカれた理論も無数に存在する。たとえば、重力はあなたの次の誕生日までまっとうな理論どおりに振る舞うが、そのあとはメチャクチャに振る舞う、といった理論がそうだ。これまで観察された事象はあなたの次の誕生日よりも前に起きている。したがって、それらの観察結果は、まっとうな理論だけでなくメチャクチャな理論とも矛盾しない。両者の理論から導かれる予測が異なるのは、誕生日のあとの事象に関してだけである。その意味で、現在のデータによっては両者の優劣をつけることはできない。

しかし、そのようなイカれた、意味もなく煩瑣な理論を真面目に受け止めねばならないとするなら、自然科学はいずれ立ち行かなくなるだろう。もうひとつ例をあげる。この宇宙は、恐竜の化石など、過去の出来事の記憶もどきや偽の痕跡をそなえるかたちで、六分前に創造されたという説である。★1 ある意味でこの理論は、われわれが手にしているデータを余すところなく説明している。けれども、あまりにデタラメで、恣意的で、いたずらに煩瑣なだけなので、説明としては箸にも棒にも掛からない。真面目に受け取るだけの価値はないのだ。同様に、二元論は日曜日に当てはまり、そのほかの曜日は物理主義が当てはまるという説も、デタラメで、恣意的で、いたずらに煩瑣なだけなので、哲学者がわざわざ相手にすることはない。

科学者が競合する二つの理論を真摯に受け止めた場合でも、単純性の観点にもとづいて理論選択がなされることがある。単純性を考慮することは、いわゆるオーバーフィッティングのリスクに対する歯止めにもなる。データにゆるくフィットする理論よりも、緊密にフィットする理論をつねに選ぶべしと聞かされれば、読者は「何をいまさら！」と思われるかもしれない。しかし、データにはランダム誤差がつきものである。★2 実際問題として科学者がデータに完璧にフィットする方程式をつねに選ぼうとすると、データが不正確であっても、それにフィットするひどく複雑な式を選ばざるをえない。しかも、新たなデータが手に入るたび、それにフィットするいっそう複雑な新しい式に乗り換えることを余儀なくされる。結局この繰り返しで、いつまでも安定した結論には到達できない。これがオーバーフィッティングだ。科学者の立場では、データにもっと大まかにフィットする単純な式を選ぶほうが戦略としては手堅い。これならば不正確なデータに足をすくわれるリスクを抑えられるからである。

簡単な例をあげる。いま科学者がある量を1分おきに測定しているとしよう。そして、次のような測定値が得られたとする。

2, 4, 6, 8, 10, 11, 14, 16, 18, 20

11のあたりを除けば、値は2ずつ増えている。このとき、すべての数値を額面どおりに受け取って、数列にフィットする複雑な仮説をひねり出すこともできなくはない。しかしかわりに、測定におそらく誤りがあった――つまり正しい値は11ではなく12である――と考えて、本当は2ずつ増えているというずっと単純な仮説を採用する手もある。前者の戦略はオーバーフィッティングだ。オーバーフィッティングは、とかく悪い結果に結びつきやすいことが経験上知られている。これに対して、後者の戦略はもっと建設的である。これはけっしてズルではない。測定のプロセスがはらむ誤りの可能性を考慮しているのだ。

哲学でもオーバーフィッティングはある。思考実験についての判断だけに頼る哲学者は、そうした判断に余すところなくフィットする複雑で扱いにくい理論をひねり出すのがつねだ。新たな思考実験について判断を下すたび、それにフィットするように理論をたえず変えていくことを迫られる。理論はますます複雑で扱いにくいものになる。けっして安定した結論にたどり着くことはない。彼らは、思考実験について自分たちが下した判断の不正確さに対してあまりに無防備である。かりに彼らの判断がそれなりに信頼できるものであったとしても、不可謬とまではいえない。彼らの戦略では、ときおり起こるエラーが十分に考慮されていない。もし彼らが理論の単純性をもっと重視するならば、思考実験で下したみずからの判断にもいっそう批判的に向き合えるはずだ。たしかに哲学ではその種の判断が必要だが、判断の誤りというリスクに対処する戦略もまた必要なのである。理論の比較にあたって単純性を重視することは、そうした戦略としての意味をもつのだ。

7 演繹する

演繹の活用——哲学の内と外

「独断論的な物言いは私のよくするところではございません！」誇らしげにそう声を張る哲学者は多い。彼らは論証のかたちで自分の意見を表明する。ふつうその念頭にあるのは、論理学でいう意味での演繹である。演繹的論証では、前提、すなわち論証の仮定から結論が論理的に導かれる。前提を主張しておきながら結論を否定するのは論理的矛盾なのだ。例をあげよう。

前提1　苦しみが存在しないか、または神が存在しない。
前提2　苦しみが存在する。
結論　神は存在しない。

無神論の支えとなるこの論証は演繹的に妥当である。前提が成り立つならば、結論も成り立つことが論理的に帰結するのだ。それはなぜか。前提1が二つの選択肢を提示し、前提2がそのうちひとつを排除した結果、もう一方の選択肢だけが残るからである。この型の論証を選言三段論法という。演繹的に妥当な論証形式は数多くあるが、選言三段論法もそのひとつである。

演繹を使うのは哲学者だけではない。数学の証明は演繹の連鎖そのものだ。日々のなにげない推論でも演繹は用いられる。「鍵のありかは一階か二階だが、一階にはないので、二階にあるはずだ」という推論では、選言三段論法が駆使されている。古代ギリシャの哲学者クリュシッポス(前二七九―前二〇六頃)は、イヌさえも選言三段論法を使っていると述べた。[★1] ある日のこと。彼の飼っていたイヌがウサギを追っていると、道が三つに枝分かれした場所に差し掛かった。最初の二つの道をクンクンと嗅いだイヌは、三つ目の道を匂いも嗅がずに駆け出した。推論のおかげで、わざわざ匂いを嗅ぐまでもなかったのだ。「ウサギが行ったのは、これかそれかあの道のどれかだ。でも、この道でもその道でもない。行ったのはあの道だ」

一九世紀の半ば以降、精密な人工言語のおかげで、演繹論理は長足の進歩をとげた。人工言語の式は、英語や中国語などの自然言語の文よりも、はるかに明確に論理構造を浮き彫りにしてくれる。数理論理学は数学の一分野であり、計算機科学に広く応用されている。実際、アラン・チューリング(一九一二―五四)らの数理論理学の仕事は、現代のコンピュータの発展を支えるいしずえとなった(図6)。哲学者も、論証を厳密にするために現代論理学をよく利用する。場合によっては、論証を人工言語に翻訳することもある。論証の妥当性がいっそう手堅く、しかも容易に

図６　チューリングが製作した機械（1944 年）

チェックできるからである。喩えていえば、不鮮明な動きを見ながらその場で判断するのではなく、スローモーションの再現映像で事の次第をじっくり観察するようなものだ。しかし現代論理学の力や洞察力は、突き詰めれば、われわれのありきたりで単純な推論の能力に由来しているのである。

妥当性と健全性

論証が妥当といえるには、前提や結論が実際に真かどうかは問題ではない。前提が真となり、かつ結論が偽となるようなケースがないことだけが重要なのだ。前提が真である妥当な論証——ということは結論も真になるわけだが——は「健全」であるといわれる。したがって、二つの論証の結論が矛盾するとき、両方の論証がともに健全ということはありえないが、どちらも妥当ということはありうる。冒頭の無神論を支持する論証を、同じく選言三段論法を用いた無神論を否定する論証と比べてみよう。

前提1　人生には意味がないか、または神が存在する。
前提2　人生には意味がある。
結論　神は存在する。

いずれの論証も、前提から結論がたしかに帰結するので妥当である。しかし、健全なのはたかだかひとつしかない。神が存在し、かつ存在しないということは不可能だからだ。

二つの論証がともに妥当でありながら結論どうしが矛盾するときは、それぞれの前提を吟味しなくてはならない。前提には明らかに真といえるものがある。たとえば最初の論証で、前提2の「苦しみが存在する」が正しいことは自明だろう。かりにこの自明な前提を否定する頭のイカれた人物がいたとしても、その点は揺るがない。しかし、哲学的に意味のある論証は、その大半が自明でない前提を少なくともひとつ含んでいる。たとえば先ほどの論証のいずれも、前提1が自明ではない。そこで哲学者は、その自明でない前提の正しさを裏づける論証を見つけようとする。さらに、その論証に含まれる自明でない前提についても、それを裏づける論証を見つけようとする……。けれども、この後退はどこに行き着くのだろうか。

数学とのアナロジーを考えれば、明るい見通しが開けそうにも思える。たとえば自然数の理論である算術では、ごく自明の公理から自明とは程遠い定理が長大な証明によって演繹される。同じことが哲学でも期待できないだろうか。残念ながら、哲学史が示唆する答えは「無理」というものだ。神が存在するか否かという問題を解決すべく、哲学の俊英がこの路線を試みたが、成功した例は皆無だった。ほかの哲学的に面白い問題についても、これまでの経緯を見るかぎり、たいていは同じように不首尾に終わっている。たとえば物理主義と二元論は、どちらも論理的には無矛盾な立場だが、二つは論理的に矛盾している。したがって、論理学だけでは両者の論争を決着させることはできないのである。哲学の大半の分野では、体系的で、深遠で、一般性のある理論がいちばん好ましいわけだが、自明の前提からの演繹ではそうした理論の導出は望み薄なのだ。

出発点となる前提のハードルを下げる手も考えられる。たとえば、「ある意味で直観的に正しくありさえすれば、自明である必要はない」といったように。しかし、ハードルを下げて、新たな基準を満たす前提から面白い結論――有神論や無神論、二元論や物理主義など――を導き出す妥当な論証が構成できたとしても、同じようにそれとは逆の結論を導く論証も構成できて、話があっさりと振り出しに戻ってしまいかねない。そうなると、前提の是非をどう見極めるかがまたしても鍵になってくる。前提の是非はいったいどういう議論にもとづいて判断したらいいのだろうか。結局、演繹を軸にすえて哲学をしようとしてもうまくは行かないのだ。

ここから、「哲学にとって演繹は重要ではない」という教訓を引き出すのは正しくないだろう。実際、哲学者はたえず演繹を駆使している。しかし、そのもっとも効果的な活用方法は、理論を導き出すことではなく、理論から何かを導き出すことなのだ。たとえば思考実験で理論をテストする場合には、何らかのシナリオを想像したうえで理論からの帰結を引き出すわけだが、通常そこでは演繹が用いられる。理論は普遍的に成り立つ一般則を述べたものであり、その一般則に該当する具体的な一例が眼の前のケースについての言明である。これについてはすでに第5章で例をあげておいた。「知識とは正当な真なる信念である」という説から、「〈向こうで何かが燃えている〉という正当な真なる信念をもつ人は、〈向こうで何かが燃えている〉ことを知っている」という帰結を演繹したのもそうした例である。一般則から個別事例を演繹するこの手続きは、理論（および、そのほかの仮定）から観察可能な予測を演繹し、その予測が実現したかどうかを観察する科学の方法に似ている。自然科学者は、いわゆる自明の前提から理論を演繹しようとは思っていないが、理論からの帰結の導出には演繹をフルに活用しているのだ。その際の演繹は計算のかたちをとるのが通例である。

科学理論からの演繹は予測だけが目的ではなく、説明でも大きな役割を担っている。惑星が楕円軌道を描いて運動する理由が、運動法則を述べた理論から楕円軌道を演繹することで説明されるのもその一例だ。説明の能力は哲学理論にもある。たとえば心的出来事が物理的事象を引き起こせる理由を、一部の哲学者はこんなふうに説明する。心的出来事も物理的事象であることに変わりはない。したがって、物理的事象が物理的事象を引き起こすことに問題がないように、心的出来事が物理的事象を引き起こしたからといって何もおかしなことはない、と。彼らの主張は、いわゆる「同一説の物理主義」から演繹的に導かれたものである（詳しくは第6章のBox 2を参照）。哲学でも自然科学でも、説明のための演繹は、予測のための演繹と同じく背景的な仮定に依拠していることが多い。しかし、これは意外でもなんでもない。そうした仮定に依拠することと、演繹が重要な役割を担うこととは少しも矛盾しないのだ。

理論のなかには、演繹の力が弱いものもある。理論から演繹できることがほとんどないケースである。理由はいくつか考えられる。理論が緻密に作られてはいるが、あまりに慎重すぎている場合。たとえば、「少なくとも一つの事象が少なくとも一つの事象を引き起こす」と述べただけの理論は、緻密といえば緻密だが、情報量の点では貧弱である。一般に、「すべてがしかじかだ」というかたちの全称命題は情報量が多い。「これはしかじかだ」のような、任意の具体例を論理的に含意するからである。とはいえ、「しかじか」の部分が曖昧すぎれば、全称命題であっても内容は乏しい。たとえば、ある哲学者が「万物は存在と生成の総合である」といった御高説を垂れたあと、「存在と生成の総合」の意味を質問されて要領を得ない答えしかできなかったとしよう。なるほど、はじめてこれを聞かされたときには感心するかもしれない。だが説そのものの内容は貧弱としかいいようがない。何を結論としていいたいのか、ちっとも明確ではないからである。情報量に乏しいその種の理論は説明力も弱い。ほとんど何も説明していないのだ。おしなべていえば、そうした理論はわれわれの疑問に答えてはくれないのである。一般に、精緻な全称命題のほうが、演繹の力も説明の力も大きいと言えるだろう。

精緻を好む哲学者は、あまりに慎重すぎると批判されることがある。ひどい場合には、知的怯懦の誹《そし》りを受けることさえある。「真の意味で大胆な思索をする哲学者とは、茫漠の深みに分け入ることも辞さず、暗い闇のただなかにあって毫も怯《ひる》むことがない。だが、精緻を好む哲学者は透明な浅瀬でくだらないゲームに興じているだけだ」と。この描写の仕方は意外と悪くない。曖味さを好む者が安全地帯に身を置きながら危険を夢想するさまを上手くとらえているからである。奔放で不鮮明な文章は、ときに過激な響きをもつ。だが本当は、明晰さを欠くおかげで反駁されずにすむという意味で、そうしたスタイルこそ安易で気楽なやり方なのだ。不明瞭さが誤りの特定を防いでくれるのである。リスクのあるやり方とは、むしろ、反駁の可能性を許すほど明晰で具体的に述べることなのだ。

演繹の力が強すぎる理論もある。極端なケースは、理論が論理的な矛盾をはらんでいる場合だ。標準的な論理に従えば、矛盾をかかえた理論は使いものにならない。あらゆる命題を理論が含意するからである。どんな命題も一貫して否定することができないのだ(たとえば、「月はグリーン・チーズでできていて、かつできていない」が「あなたはローマ法王だ」を含意するというように[★2])。矛盾する理論は、すべてを説明しているようでありながら、実は何も説明していない。明晰であればあるほど演繹力の大きさが浮き彫りになる。そのため、不明瞭な理論にくらべて、明晰な理論ではこの最悪の事態が露見するリスクも大きくなる。しかし、そうした事態を避けることができれば、理論に寄せられる信用も大きなものとなるのだ。

論理学と数学のアブダクション

こうしてみると、哲学における演繹の役割は自然科学での役割によく似ている。そのため哲学は、方法の面で、あらゆる定理が演繹的に証明されねばならない数学よりも自然科学に近い印象を与えるかもしれない。だが、そう結論するのはまだ早い。数学でも証明はみな第一原理に依拠しており、そうした原理は証明に訴えることなしに受け入れられているからである。数学の証明を結論から一歩一歩さかのぼっていくと、有限回のステップで第一原理に最終的に行き着かざるをえない。そうでなければ循環か無限後退に陥って、まともな証明にはならないだろう。つまり数学の証明は、演繹的ではない何か、第一原理を支える何かに依拠しているのだ。

何が数学の証明における第一原理なのだろうか。その一部は、数学的推論だけでなくそれ以外の推論でも使われる演繹論理の原理である。たとえば、全称命題は任意の個別事例を含意するという原理もそのひとつだ。さらにこれとは別に、数学に特有の原理もある。「無限集合、すなわち無限個の要素(0, 1, 2, 3, ...)をもつ集合が存在する」という無限公理がその一例である。

論理学と数学の第一原理を、ただの言語的規約として──「すべての」とか「集合」といった論理学や数学の言葉の部分的定義として──片づけようとする哲学者もいる。しかし、こうした試みは言葉の使われ方を歪めるものだ。たとえば、無限公理は「集合」という言葉の部分的定義ではない。有限主義者は無限公理を否定して、集合はすべて有限集合だと考えるのだが、だからといって必ずしも「集合」という言葉を誤解しているわけではないし、意味の変更を主張しているわけでもない。(現在の意味での)公理を偽と見なしているだけかもしれないのである。大半の数学者と同じく、筆者も無限公理は真だと思う。だが、「本当は異論など誰も唱えていない」と言ってしまうのは全体主義であり、一種の「抑圧的寛容」だろう。人間の言語には、そのような平板さとはかけ離れた多様性の余地がある。論理学や数学の基本原理も、物理学の基本原理と同様、その真偽が正当な問題になるのだ。そうした問題は、避けて通るのでなく、正面から取り組むべきものなのである。

論理学と数学の原理に関して、その一部を受け入れ、一部を否定する根拠は何だろうか。すべての原理が当然であったり自明であったりするわけではない。とくに、無限集合が存在するという原理はそうだ。選択の根拠を自明性におくよりももっと有望な手がある。第6章で自然科学と哲学の理論に応用したあのアブダクションの方法を、論理学と数学の基本理論の評価に用いるのである。つまり、最善の説明を導く推論の一種を適用するのだ。この路線をとったのがバートランド・ラッセルだった。論理学と数学の第一原理を見極めることに何年ものあいだ力を注いだ彼は、その経験をふまえて、一九〇七年の論文で次のように述べた(そこでは「アブダクション」のかわりに「帰納法」という言い方がされている)。

とかくわれわれは「前提が真なのだから結論も真」と思うかわりに、「結論が真なのだから前提も真」と思いがちである。けれども、結論から前提を導く推論とは帰納法の本質なのだ。したがって、数学の原理を研究する方法は実は帰納的方法であり、ほかのどの科学でも使われている発見の方法と基本的に同じなのである。

すでに受け入れられている数々の数学理論を、一個の新しい、より基本的な論理的・数学的理論から導出すること。それによって数学を統一すること。そのためには無限公理が必要になる。だからわれわれは無限公理を受け入れるのだ。言語的規約や自明らしさといったお話よりも、自身の経験をふまえたラッセルの説明の方が、論理学と数学の基本理論の史的展開にはるかに符合しているのである。

論理学と数学の研究の大半は基礎的な性格のものではない。定理は、一般に認められた原理と方法を用いて、演繹的に証明される。そうした原理や方法が正しいことは当たり前と見なされており、その由来が問われることはない。しかし、あえて正しいと言える理由が問われたときには、アブダクションが答えを与えてくれる。したがって、自然科学と哲学はアブダクションの分野だが、論理学と数学は演繹的な分野であるというふうに、両者を対照的にとらえるのは適切ではない。論理学や数学でも、アブダクションは目立たないかたちで基礎的な役割を担っているのだ。哲学を数学と自然科学の「中間」に位置づけることもできなくはないが、これだと一面だけを見た比較にしかならず、誤解を生じかねない。アブダクションを駆使する点では、哲学は非自然科学としての数学よりも自然科学に近い。だが実《じつ》実験の有無という点では、哲学は自然科学よりも数学に近いのである。

論理学と数学においてアブダクションが基礎的な役割を担っていることからわかるのは、アブダクションを駆使する多くの研究にとって実実験が成功のために不可欠であっても、アブダクションという方法自体にとって実実験は重要ではないということだ。これは、アブダクションが基本的な役割を担っているからといって、哲学を自然科学と同じようにとらえてはならないことを意味する。体系的、組織的な探究という意味で、哲学はたしかに科学ではあるが、自然科学ではないのだ。

中立的でない論理

哲学者が演繹的に議論を展開するときは、論理学、場合によっては数学の一般に受け入れられている原理と方法を用いるのがふつうである。それらは当然正しいものとされており、ことさら由来が問われることはない。そのため、論理学自身はいかなる哲学的立場にもコミットしない、哲学の理論を裁く中立的な審判であるかのように見えてしまう。

しかし、そうした印象は正しくない。これまで提案された論理学の第一原理はどれも、哲学的理由から異議を唱えられているのだ。もちろん異議が間違っていることもあるだろう。しかし、だからといってそうした異議がイカれているわけではない。多くの論争で双方の陣営が受け入れているとはいえ、第一原理が哲学的に中立であることは基本的にないのである。

論理学の原理で意見がぶつかる有名な例として、まず排中律があげられる。(標準的な)古典論理のきわめて重要な原理だ。排中律の個々の事例は「あるものはしかじかであるか、またはしかじかでない」というかたちをしている。そこには現在はもちろん、過去や未来についての言明も含まれる。ひとつ例をあげよう。

明日、君はくしゃみをするか、またはくしゃみをしない。

この言明を受け入れない哲学者もいるだろう。今の時点では、未来はまだ確定していないと考えるからである。明日君がくしゃみをするか否かは未決定であり、事態はどちらにも転がりうるというわけだ。そこで彼らはこう主張する。「明日、君はくしゃみをする」はまだ真でも偽でもない。「明日、君はくしゃみをしない」もやはりまだ真でも偽でもない。したがって、「明日、君はくしゃみをするか、またはくしゃみをしない」という言明はまだ真でも偽でもない。かくして彼らは排中律を否定し、つまりは古典論理を否定するのである。彼らの理屈の粗《あら》を捜すことはできるが、「まるっきりイカれてる」というのは正しくない。

伝統的には、矛盾した主張こそが合理性に対する最大の罪とされてきた。前言と矛盾することを平気で口にする人と、どうして理性的な議論ができるだろうか。しかし、古代ギリシャにさかのぼる歴史をもつ一部の論理的パラドックスでは、自己矛盾が容易には避けられない。たとえばクレタ人のエピメニデスは、次のような言明を唱えたという(この言明を「S」と呼ぼう)。

この言明は真ではない。

Sは真だろうか。もしSが真でなければ、それこそがこのSの述べていることなのだから、Sは真である。しかし、もしSが真ならば、Sが述べている内容からSは真でないことになる。どちらにせよ矛盾が生じるわけで、これはたいていの論理学者がなんとしても避けたい事態だ。ところが、ほんの少数ではあるけれども、グレアム・プリーストのような真矛盾主義者と呼ばれる人びとは、こうしたパラドックスでは矛盾をそのまま受け入れることが最善の道だというのである。つまり、こう主張するのだ。

Sは真であり、かつ真でない。

筆者は真矛盾主義に与するものではない。しかし、プリーストとのあいだに理性的な議論が成り立つことは経験で知っている。真矛盾主義を擁護するために、彼はさきほど推奨したアブダクションを駆使してさえいるのである。

古典論理では、矛盾はあらゆる言明を含意する(「妥当性と健全性」の節を参照)。あらゆる言明にコミットするなど、たしかに狂気の沙汰だろう。さすがに真矛盾主義者もそこまで引き受けるつもりはない。そうした極端な事態を避けるために、彼らは古典論理に手を加えて矛盾の影響を一部にとどめ、ほとんどの言明を矛盾から導かれないようにするのだ。それには選言三段論法を捨てる必要がある。つまり、選言三段論法を使った先ほどの無神論を擁護する論証やそれに反対する論証を論理的に非妥当と見なすのである。彼らの眼から見て、たとえこれらの論証が選言三段論法のもたらした迷妄には当たらないとしてもだ。

真矛盾主義は、古典論理を捨てることで負う代償を過小評価しているといっていいだろう。古典論理は科学のあらゆる場面でいちいち断ることなく使われているので、使用を制限すれば、その影響はドミノ倒しのように広がってしまう。真矛盾主義者としても、パラドックスの生じない状況であれば、ケース・バイ・ケースで必要に応じて古典論理を使いたいと思っている。そのために「この場合は古典論理で問題なし」という前提をあらたに設けるのである。古典論理の一般的な妥当性を認めない以上、パラドックスを生じない状況でごくふつうの科学的説明が成り立つためには、こうした前提を付け加えねばならないわけだ。だが、その場その場でゴテゴテと余計な前提を付け足すおかげで、科学的説明のエレガントさは台無しになり、科学のいたるところで説明の力が低下してしまう。ところが、古典論理はそのまま保持して、調整は別の箇所でやることにすれば、そうした説明力の広範な喪失は避けられる。第6章で述べた理論を比較するための科学的方法から見れば、そのほうがお得なやり方だろう。とはいえ、パラドックスに対する複数の解決策について、それぞれのコストと便益を比較考量することはデリケートな作業である。真矛盾主義者は間違ったかもしれないが、イカれた間違い方をしているわけではないのだ。

　ごく自明そうな論理学の原理に、「同一性の反射性」という大仰な名前のものがある。いかなるものもそれ自身と同一であるという原理だ。[★3] しかし、哲学者のなかにはこれを認めない立場もある。万物はつねに変化しており、変化すればもはやそれ自身ではない。したがって、いかなるものも自己同一的ではない、という理屈である。彼らの議論には同一性の論理と時間の論理との関係について誤解があるが、それは微妙な誤解であって、けっしてイカれた間違いなどではない。それでも結果として、同一性の反射性の否定という重い結論が下されてしまっているのである。

　自然科学の発展もまた、古典論理の改訂をうながす刺激剤となっている。たとえば、ヒラリー・パットナムや一部のイカれていない哲学者が次のように主張したことがあった。量子力学に登場する不可解な事象は、量子の世界を支配する論理が非古典論理だと考えればいちばんうまく理解できる。分配律という古典的原理によれば、次の言明(1)は言明(2)を論理的に含意する。ここでF、G、Hは物理系がもちうる三つの性質である。

(1) 系はF、かつ、GまたはHをもつ。
(2) 系は、FかつG、またはFかつHをもつ。

いわゆる量子論理では、(1)は(2)を論理的に含意しない。分配律が成り立たないのだ。古典論理に対するこの異議申し立ては不条理ではないし、いかなる言語的規約にも反していない。問題は、分配律を弱めることで、量子の世界の物理的事象がほんとうに説明しやすくなるのかという点である。量子論理には残念なことだが、答えはどうやら「ノー」らしい。物理学の基礎的な問題は、量子論理では解決されないのだ。その後パットナムは量子論理を捨てた。ここで彼の異議が一笑に付されたのではないことに注意してほしい。パットナムの異議は、しっかりとした知的態度で迎えられた。論理を変えることが量子の世界の理解に真に役立つのかが詳しく検討されたのである。

論理学と哲学

バートランド・ラッセルがこう述べている。「論理学は、動物学と同じように、現実世界についての学問である。ただそれよりは抽象的で一般的ではあるけれども」ラッセルは象牙の塔から現実世界を眺めていたわけではない。実際、この言葉は第一次大戦中に刑務所のなかで記されたものだ。イギリスと、同盟国であるアメリカとの関係を損なったという理由で、ラッセルは六箇月の禁固刑に処せられた。雑誌の記事で、イギリス駐留の米軍がスト破りに動員される恐れがあると書いたのである。

古典論理は、実在世界のもっとも抽象的で一般的な特徴に関するすぐれた理論である。その正当化は超越論的になされるわけではない。また、一切の異議申し立てが理に反していると証明されるわけでもない。そもそもそのようなかたちの正当化は無用である。古典論理の正当性は、ほかの科学理論と同じように、第6章でふれたアブダクションによるほかの論理との比較によって示されるのだ。まず、古典論理はシンプルでエレガントである。加えて、競合するほとんどの論理よりも論理的に強力である。つまり、ほかよりも情報量が多く、一般的パターンをまとめて説明する力が強い。さらに古典論理は、非古典論理よりもはるかに多くのテストをくぐり抜けており、そのうえでとくに不都合がないことがわかっている。なにしろ、何千年ものあいだ、数学などの科学を背後から支える論理として活躍してきたのだ。これまでのところ、古典論理がエビデンスにそぐわないことを示す試みが成功したためしはない。それはわれわれが手にしている最良の科学理論のひとつなのである。

古典論理は哲学にも寄与している。古典論理が記述する実在の抽象的・一般的パターンは、哲学にとってとくに大きな意味がある。それらのパターンは、それ自体として面白いのはもちろん、哲学理論への制約としての価値もそなえている。そうした制約がなければ、哲学者は自分の犯した矛盾をたやすく古典論理のせいにできてしまうだろう。古い諺にもあるではないか、「腕の悪い職人はいつも道具のせいにする」と。古典論理は、透徹した分析による問題解決へと、われわれを否応なしに導くのである。

古典論理では、「でない」「かつ」「または」「すべての」「ある」ならびに繋辞《コプラ》という言葉の論理がテーマとなる。論理学のなかには、古典論理の改訂ではなく、それを拡張したタイプの理論もある。様相論理がそうだ。これは「〜でありうる」「〜であらざるをえない」——すなわち「可能な」「必然の」——という言葉の論理である。たとえば、もしあなたが座ることが可能ならば、「あなたは座って、なおかつ歌を唄うことが可能であるか、または座って、なおかつ歌を唄わないことが可能である」ことが論理的に帰結する。それに対して、もしあなたが座ることが必然的ならば、「あなたは座って、なおかつ歌を唄うことが必然的であるか、または座って、なおかつ歌を唄わないことが必然的である」ことは論理的に帰結しない。歌を唄うかどうかはあなたの意思次第ともいえるからだ。様相論理では、そうした論証のどれが妥当でどれが非妥当かが体系的に研究されている。哲学では、あることが可能か不可能か、必然的か偶然的かがよく問題に

図７　様相量化論理の４人の開拓者．左上から時計回りに，アヴィセンナ(イブン・スィーナー，980-1037)，ルードルフ・カルナップ(1891-1970)，ソール・クリプキ(1940-2022)，ルース・バーカン・マーカス(1921-2012)

なる。そのため様相論理は、いろんな哲学的論証にとって重要な意味をもっているのだ(図7)。

様相量化論理と呼ばれる分野で議論されている仮説をひとつ紹介しよう。

すべてのものは必然的に存在する。

これは、あなたが必然的に存在することを含意する。つまり、あなたが存在しないことはありえなかったということだ。けれども、もしあなたの両親が出会わなかったとしたらどうだろう。その場合、あなたは存在しなかったのではないだろうか。さて、もしこの仮説を否定するならば、別の言明を支持することになる。様相論理の言葉でいえばこうだ。

すべてのものが必然的に存在するとはかぎらない。

いま哲学者は、それぞれの言明から導かれる帰結を明確にすべく、研究に取り組んでいる。一般的な理論としてどちらがすぐれているかを確認しようとしているのである。[★4]

いろいろと論争があるものの、論理学は明らかに進歩している。そして、その進歩の多くは哲学の進歩でもあるのだ。

8　哲学史を活用する

哲学は歴史学なのか

大学で哲学科に進学すると、講義の多く、所によってはその大部分が哲学史で占められていることに気づくだろう。対照的に、数学科や自然科学系の学科で数学史や科学史が教えられることは、ほとんど、あるいはまったくない。発見に数学者や科学者の名前がついていることならば、たしかにときどきはある。それでも学生は、発見にいたる経緯を知ることを期待されているわけではない。ましてや原論文を読むなど問題外である。たとえ原典に直接あたったところで、体裁や言葉づかいがあまりに現在とは異質なため、研究結果が読み取れるとはかぎらないのが実際だろう。それに対して哲学科の学生は、大昔の大哲学者が書いた本を一冊まるごと、あるいはその大部分を、翻訳であってもとにかく読まなければならない。哲学と過去の歴史との関係は、数学や科学の場合とどうやら違うものらしい。

哲学史の研究を何のためらいもなく史学科の手にゆだねる哲学者はまずいない。史学科で過去の哲学者が研究される場合、それは「思想史」と呼ばれる。彼らがどんな一生を送り、社会的、政治的、宗教的、文化的にどのような文脈と制約のもとに生きたか。思想をはぐくみ、執筆し、教育に従事した環境とはどのようなものだったか。何を当然と見なし、何に反発し、誰に読んでもらうために執筆したか。その仕事は当時どんな影響を及ぼすことを意図していたか。また、実際にどんな影響があったか。思想史ではこういったことに関心が寄せられる。一方、同じ哲学者を取り上げても、哲学科での研究は「哲学史」と呼ばれる。焦点となるのは何よりも著作それ自体であり、当時の周辺事情との関わりではない。今日でもなお理にかなう、整合的な、生きた思想体系として内容を理解するのが目的なのである。

哲学史はたしかに哲学の一部ではある。それでも、ある理論をある哲学者の考えとして提示することと、真なる理論としてそれを提示することとは違う。専門の哲学史家であれば、この違いをおろそかにすることは基本的にない。彼らが問題にするのは、哲学者がどんな説を抱いていたかであって、どんな説が真かではないのだ。けれども残念なことに、この違いを曖昧にした哲学の著作も幅を利かせている。強大な影響力を誇る思想家、たとえばドイツの偉大な哲学者イマヌエル・カント(一七二四―一八〇四)などは、そのようなかたちで論じられる例が少なくない。「物自体を知ることはできない」という一節を聞かされても、著者が主張したいのはカントがそう考えていたということなのか、それとも著者自身がカントの見解を支持してそう主張しているのか、はっきりしないのだ。二つの主張の区別を曖昧にすることは、批判から自分を守るうえでも都合がいい。一つ目の主張が批判されれば、「自分は二つ目の主張をしているのだ」とかわせるし、二つ目の主張が批判されれば、「自分が言いたいのは一つ目の主張なのだ」と切り返せるからである。歴史解釈として間違っていると指摘すれば、「自分は物自体について語っているのだ」と応じられる。かといって、哲学の理論として間違っていると批判すれば、「自分はカントの説について話しているのだ」と言われるわけだ。その手の論文は、歴史解釈としても哲学としても、あまり冴えないのが通例である。

「哲学とは哲学史の研究そのものである。なんとなれば、それしか哲学のありようはないのだから」この見方は、次第にその地歩を失いつつあるとはいえ、とくにヨーロッパの大陸側で根強いものがある。一九七〇年代後半のこと。友人のイタリア人哲学者がはじめてオックスフォード大学を訪れた。彼女は、研究者たちが哲学の問題を「解決」しようと奮闘する姿を見て、そのナイーブさを微笑ましく思ったそうだ。体系が根本から異なる場合、どちらの体系を選択するかを共通の土台にもとづいて決めることはできない。それを当然のこととする哲学の文化で自分は教育を受けてきた、というのが彼女の説明だった。この見方によれば、どちらの体系が客観的に真かを問うことは意味をなさない。われわれには、歴史的に与えられたあれこれの体系の内部で考えるしか道はない。たとえそれを転覆しようとするときでさえも――。筆者自身、「どの哲学者を研究されているんですか?」と尋ねられることがある。哲学者たるもの、そうするのがさも当然であるかのような調子でだ。これに対しては「オックスフォード・スタイルです」と答えることにしている。哲学者を研究するのではなく、哲学の問題を研究しているんですと。

哲学史の研究以外に哲学はありえないと考えるのは自家撞着だろう。そのような哲学の見方は異論も多く、誰も受け入れる義理はない。そもそも、こうした考え方にはエビデンスによる裏づけが欠けている。この本で名前が出たような哲学史で研究されている哲学者で、自身が哲学史の論文を書いたという人はほとんどいない。彼らが目指したのはほかの哲学者の理論を解釈することではないし、自分の理論の解釈ですらない。たとえば心とそれが自然界に占める位置などについて、理論を構築するのが目的だったのだ。理論の性格は科学理論と基本的に異なるものではない。同じことは今日の哲学で展開されている理論の大半にも当てはまる。しかも、すでに述べたように、そうした理論のなかからいずれかを合理的に選択する方法もある。哲学を哲学史の研究とイコールで結ぶのは、史実そのものに反している以上、度し難く非歴史的な態度というしかない。哲学の問題(たとえば自由意志など)の歴史を研究することは、たしかに問題そのものを研究するひとつのやり方ではある。しかし、研究方法の多くは問題の歴史を研究するものではない。数学や自然科学の問題の研究が、その歴史の研究でないのと一緒だ。幸いにも哲学史は、哲学全体の支配を目論む帝国主義的野望ぬきに研究できるし、実際そのようなかたちで研究されている。

記念碑的著作と影響

哲学の歴史は、いわば知の景勝地めぐりをするように訪ね歩いてもいい。無神論者でも、壮麗な寺院や大聖堂やモスクを訪れて、讃嘆と畏敬の念を抱くことがある。哲学の記念碑的著作も同じで、たとえ学説そのものに賛成できなくても、それを嘆賞することはできるのだ。プラトンの対話篇のような作品は、記憶に深く残る文学の傑作であり、散文と比喩表現とドラマの形式をもつ芸術としての質を明白にそなえている。かと思えば、カントの『純粋理性批判』(一七八一年)やヘーゲルの『精神現象学』(一八〇七年)のように、仰々しい筆致ながらも、そびえ立つ複雑な観念の建築物といった観の恐るべき芸術作品もある。

もちろん、建物の第一印象が息を呑むほど素晴らしいからといって、その構造と機能、両者の対応関係——たとえば、儀式を執り行う寺院内の人の動きが宗教的・社会的意味を表現するように、建物のレイアウトがなされていることなど——を知らないとしたら、味わい方も底の浅いものになってしまうだろう。哲学の作品にも同じことが言える。聡明で知識の豊富なガイドがいれば、無知な旅行客さながらに、自分がいかに多くを見落としているかがわかる。そして、訪れるたびに多くを学び、その価値の大きさに気づくのである。すでにこの段階で、哲学史は研究する者の労に報いてくれるのだ。

哲学の偉大な作品では、ごく一般的、抽象的レベルで、ものごとのあり方について新しい物語が語られる。たいてい著者自身は、その物語が真実だと思っている。しかし、たとえそれが間違っていても、なかには素晴らしい作品もある。その場合は、余計な幻想ぬきに、そういうものとして作品を愉しめばいい。たとえば『人知原理論』(一七一〇年)や『ハイラスとフィロナスの三つの対話』(一七一三年)がそうだ。アイルランドの哲学者ジョージ・バークリー主教は、これらの著作で主観的観念論を展開してみせた。実在をかたちづくるのは精神とその観念にほかならず、木や机など観察可能な対象はそうした観念から構成されている、という考え方である。大それたことに彼はこれを、ニュートン以降の純粋に科学的な世界観に抗する、常識と宗教のもっともすぐれた擁護論と称した。「常識と宗教に味方するといいながら、これほどひどい説もないだろうに……」そんなふうに思う人がいても不思議ではない。だが、主観的観念論が常識を逆《さか》なでするように思えたとしても、その視点からものごとを眺めるという経験は堪能できる。そして読者は、こんなにも脆弱な無形の素材からエレガントで驚くほど堅固な建築物を作り上げたバークリーの手腕に感服するのである。

哲学上の観念にそなわる面白さや美しさは措くとしても、その歴史は人類の歴史を理解する鍵になる。バークリーがいい例だが、宗教的世界観と科学的世界観との思想の戦いは、その多くが哲学を舞台に繰り広げられてきた。英語で「思想」や「観念」を意味する idea という語自体がプラトンにさかのぼる。オーストリアの哲学者で科学者のエルンスト・マッハ(一八三八―一九一六)は、ローベルト・ムージルの小説『特性のない男』と、アルベルト・アインシュタインの一般相対性理論の両方に影響を与えた。政治をめぐる多くの議論は、人権などの哲学的観念によって規定されている。これはマイナスの影響というべきだろうが、スターリン時代のソ連で公式教義とされた弁証法的唯物論は、一九世紀のドイツ哲学に由来するものだ。影響力をふるうのは真なる理論だけではない。偽なる理論も影響を及ぼすのである。

二〇世紀初頭の論理学では、数学と哲学の両方に関わる問題がもち上がっていた。創造性を働かせずに数学の問題を解く「確定的な方法」があるとはどういうことか、という問題である。★1 これに答えるために、アラン・チューリングは想像上の計算機械――万能計算機械――の抽象的理論を作り上げた。そののち、第二次大戦中にドイツ軍の暗号を解読すべく、彼は実際にそうした機械を製作し、その成功はナチズムの打倒へとつながっていく。現代のコンピュータはこのようにして生まれ、やがて世界を変貌させるのだ。哲学の観念が歴史に及ぼす影響を前もって予測するのは困難か、あるいはそもそも不可能というしかない。

チューリングの事例は、哲学理論の歴史的影響が、理論の一般的傾向だけでなくその厳密な中身によっても左右されることを教えている。わずかでも細部が違っていたなら、理論はテクニカルな仕事を担うこともできず、実用的なコンピュータが生まれることもなかっただろう。

哲学では、どのアイデアが影響力をもつかは、ほかの哲学者にとって説得的に映るかどうか、あるいは少なくとも有望そうに見えるかどうかにかかっている。そこで往時の哲学者たちが当のアイデアをどう受け止めたかを見極めることが重要になる。しかし、この点について、哲学者としてでなく歴史家としてものを考える学者に正しく判断する哲学的技量があるとはかぎらない。そもそもそうした歴史家は、古い著作に込められた哲学者のアイデアを読み解く作業に適してもいない。歴史的文献は、往々にして解釈が厄介だからだ。残っているのが写本の一部だけのこともある。同じ著作でも異本がいくつもあって、重要な箇所で食い違うこともある。たとえこうした問題がなくても、言葉や文法が多義的な場合もある。字義どおりの意味が明瞭でも、著者が何を言いたいのか、論証をどう組み立てているのか、ある言明について著者はそれを支持しているのか、それともあとで否定するために提示しただけなのか、著者は読者にどんな教訓を導き出してほしいと思っているのか、等々が不明瞭なこともある。テキストの読みを確定するには、さまざまな解釈を比較して、どれがいちばん理にかなうかを検討しなくてはならない。議論に矛盾のある解釈は、著者の意図をつかまえそこねている可能性が高い。洗練された哲学のテキストでは、内的整合性の有無を判断するのに哲学的技量が求められる。だがこの技量は、哲学者でなく歴史家としてものを考える人には欠けている恐れがある。だからこそ哲学史家は、歴史家として考える能力だけでなく、哲学者として考える能力もそなえなければならないのである。一六〇〇年二月にローマ・カトリック教会が哲学者で科学者のジョルダーノ・ブルーノを焚刑に処したことを知らなければ、この事件の影響で、一七世紀の哲学者が何を書き、何を書かなかったかを検討することなどありえないのだ。

哲学史は哲学の問題の解決に資するか

あなたが現代哲学の問題に興味をもったとしよう。過去の哲学を無視することは、解決へと向かって進む妨げになるだろうか。

もし過去の哲学をすべて無視するなら、過去三〇年の研究まで切り捨てることになる。ゼロから哲学をやり直すことになるわけだ。これは、いままで成し遂げられた発見を一切無視して、数学や物理学をゼロからやり直すのと同じように馬鹿げている。運がよければ、あなたは車輪を再発明するかもしれない。あるいは、四角い車輪を発明してしまうかも。けれども、そんなおかしな発明をしたからといって、あなたが責められる謂《いわ》れはない。どの分野でも、いまわれわれが手にしている知見は、あまたのすぐれた知性が何千年にもわたって積み重ねた努力の結果なのだ。集団によるこうした成果を、一生のうちに独力で実現できる者などいはしない。世間には孤高の天才の神話というものがある。輝ける孤独のなかで、すべてを自分一人で考え抜く天才の物語だ。だが実際には、哲学も数学も自然科学もそのようなかたちで研究が進むわけではない。たしかに孤立した思索によって多くの成果が生まれてはいる。しかし、それを成し遂げた人もほかの研究者の仕事から多くを学んでいるのだ。かろうじて反例といえそうなのは、インド人の数学の天才シュリニヴァーサ・ラマヌジャン(一八八七―一九二〇)だろうか。しかしその彼にしても、最初は教科書から出発している。ましてや、すぐれた哲学者が荒野のグルのように現れることはない。哲学の進歩は、独白ではなく対話を通じて、競合するアイデアを理性的に比較することで実現するのだ。自説と競合するアイデアとしてどんなものが提案されているのか。それを批判する足がかりとして、自分がその論者と何を共有しているのか。そうしたことを知るには、他者と会話をするしかない。孤独なグルにはそうした知識が欠落している。二人のグルはたがいの主張に耳を傾け、話をすることを学ばねばならないのだ。

事実、哲学に大きな貢献をしている人は、ほかの哲学者の最近の仕事を熟知している。その点では、哲学は数学や自然科学と一緒といっていい。では、もっと古い時代の研究についての知識はどうだろうか。数学者や自然科学者とくらべて、哲学者はそうした知識をはるかに多く必要とするのだろうか。ここは意見の分かれるところだろう。はたして現代哲学は、それまでの研究の重要な洞察を残らず吸収しおおせたのだろうか。

たとえば、現在の哲学で何が当たり前の前提とされているかは、それを当たり前としなかった過去の哲学と出会わないかぎり、なかなか気づけるものではない。気づかないことは、前提を当たり前と見なすことのメリットでもある。それにあれこれ思い煩って時間を無駄にせずにすむからだ。けれども哲学者には、隠れた前提を放置せず、逆にそれを露《あらわ》にしようとする習性がある。プラトンの伝えるところによれば、「吟味のない生は人間にとって生きるに値しない」とソクラテスは語ったという。★2 生を吟味するとは、自分が何を当たり前に思っていたかを自覚する作業でもある。たとえば現代の哲学者の多くは、道徳的義務が美醜の美学的考慮よりもつねに重要であると決めてかかっており、これが重大な前提であることに気づきもしない。しかし、ニーチェを読めば、それとは別の考え方があることに気づくかもしれないし、ひょっとしたら自分たちの前提を疑うようにさえなるかもしれない。もちろん、そうした効果は過去の哲学を読むことでしか得られないというわけではない。プロテスタンティズムが深く浸透した北西ヨーロッパや北米では道理とされる美的価値の低評価も、(ニーチェのように)イタリアで暮らしてみれば、そこまで説得力がないことが理解できるかもしれない。とはいえ、哲学史の研究が、そうしたカルチャー・ショックを実現するのに向いているのは確かである。

ひとたび自分たちが当然と決めてかかっていた前提がはっきり自覚できたとしよう。それが誤りや無根拠だとなれば、前提は否定される。そうした経験はときに解放感をもたらし、ときに背筋を凍らせるものとなるだろう。だが、引き続きそれを受け入れることもある。ただし今度は意識的な受容だ。前提を支持するもっと多くの材料を探す場合もある。哲学史をひもといて、その由来を訪ねることもある。学問上の祖先を知るのは素晴らしいことだ。

哲学で議論されるのは、いつもごく限られたアイデアだけである。しかし、哲学史を知れば知るほど議論の材料は増えていく。すぐれた数学者がそうであるように、すぐれた哲学者はさまざまなお手本や戦略を豊富にもっており、必要に応じてそれを利用している。そうしたお手本や戦略を真っ先に提供してくれるのが哲学史なのである。

歴史的文献の役割はそれだけではない。哲学のアイデアは、ほとんどが最初は漠然としたものだ。それがいろんなかたちで展開され、研ぎ澄まされていくのである。そうやって生まれたいろんなバージョンのうち、うまく行くものがひとつでもあるかどうかでアイデアの良し悪しは決まる。もしどれかがうまく行けば、そのアイデアは上出来だ。ほかのバージョンが不首尾であろうと関係ない。最善のバージョンがどれかを判断するのに、最初からそのアイデアに反対していた陣営の意見を参考にしてはならない。彼らにとってはアイデアが失敗したほうが嬉しいわけで、そのため早々に見限る可能性が高い。最善のバージョンを見つけるのはアイデアを支持する側の役目なのだ。とはいえ、彼らのなかでもっとも知性と創意にあふれた者が何年にもわたってアイデアを成功に導こうと努力し、それでもなおうまく行かなければ、その事実はアイデアを否定するすぐれたエビデンスとなる。周到に練られた論証をひとつもち出したところで、エビデンスの強さでは及ばない。そうした論証で否定されるのは、あくまでアイデアの一部のバージョンだけだからである。

例として検証原理をあげよう。ルードルフ・カルナップなどの論理実証主義者が一九二〇年代から唱えた原理だ。世界についての言明が有意味であるためには、観察によって検証や反証ができなければならない、というのが大まかなアイデアである。その狙いは、科学的言明と非科学的言明とを選り分けて、後者を排除することにあった。検証原理を厳密に定式化すべく、論理実証主義者はさまざまな工夫を試みた。しかし、どれもうまくは行かなかった。論理実証主義者の眼から見て、明らかに非科学的な言明を許容するか、明らかに科学的な言明を除外することになってしまったからだ。こうした失敗の軌跡は検証原理というアイデアそのものを否定する強力な論拠をかたちづくっており、その威力は、個々のバージョンに対する反駁の力を凌ぐ。かりに検証原理のなかにモノになりそうなバージョンがあったとしたら、すでに論理実証主義者が見つけていたはずである。いまでもときおり、複雑精緻な理論による論理実証主義の聖杯探しがおこなわれているが、どれも行き詰まっているのが実情だ。科学哲学者ラカトシュ・イムレ(一九二二―七四)の便利な言葉を借りるなら、論理実証主義は退行的リサーチ・プログラムなのである。哲学史にはそうした努力の歴史が刻まれている。アイデアを生かす試みの、退行的リサーチ・プログラムへの転落。そうした意味での失敗のエビデンスを哲学史は提供してくれるのだ。

現代の哲学で、昔の研究から直接刺激を受けて研究が進んだ例はほとんどない。過去を振り返って先蹤の存在が明白な場合でも、新しいアイデアは、過去の研究との類似が知られるより先に独立して発見されねばならなかったケースが多い。

たとえば可能世界というアイデアがそうだ。可能世界とは、この宇宙がたどりえた事象の経過の仔細である。このアイデアは「〜でありうる」と「〜であらざるをえない」、「〜してよい」と「〜すべきである」などの法動詞の意味と論理を理解するうえで、技術的にも哲学的にもきわめて重要であることが明らかになっている。可能であるとは、ある可能世界で成り立つことを意味する。必然的であるとは、すべての可能世界で成り立つということだ。この現実世界では、読者はいまこの本を読んでいる。しかし別の可能世界では、この本が書かれることはなかった。可能世界については、すでに三〇〇年前にライプニッツが論じている。現代の哲学者とは違って、彼は可能世界を神の精神のなかにある観念と考えた。神はそこからひとつを選んで現実化するのである。なぜ神がそれを選んだかといえば、あらゆる可能世界のなかでそれが最善だからというのが、驚くなかれ、ライプニッツの弁だった。しかし、様相論理は彼の仕事が刺激となって生まれたわけではなく、独自に発展するしかなかった。一九四〇年代には、カルナップが「状態記述」の概念に重要な技術的役割を認めるにいたったが、これは神の精神のなかにある観念ではなく、言葉で表された無矛盾で完全なストーリーを意味した。状態記述とライプニッツの可能世界との類似にカルナップが言及したのはもっとあとのことだ。様相論理が独立して発展しなければ、可能世界の有用性が認められることはなかったに違いない。

過去の歴史が新しいアイデアの誕生のヒントになる点では、哲学もほかの学問とそれほど変わりはない。それでも、数学や自然科学よりも歴史が活用されるのは確かである。それはなぜだろうか。

ほかの分野の前提だけでなく、みずからの前提を問いただすのも厭わないこと。そうした姿勢は、哲学がいちばん顕著かもしれない。数学の基礎的な前提を疑う数学者や、物理学の基礎的な前提を疑う物理学者は、「哲学者」の仲間と見なされる傾向にある。しかし、哲学の基礎的な前提を疑問に付す哲学者はやはり「哲学者」だ。繰り返し基礎に立ち返って考える以上、哲学者はいにしえの先達と多くを共有することになる。哲学史の役割が認められる所以である。

もちろん、多くの場合、数学や自然科学の進歩は基礎的前提を問いただすことによるのではなく、それを土台にして築かれている。物理学徒であり、歴史家で科学哲学者でもあるトマス・クーン(一九二二—九六)は、そうした活動を「通常科学」と呼んだ。通常科学が危機に瀕してはじめて、基礎へと立ち返ってそれを問い直す研究が始まる。そして、そのあとにはしばしば科学革命が起こる、というのがクーンの説明だった。現代哲学の多くは「通常哲学」であり、基本的な前提に疑問をもたず、それにもとづいて研究がなされている。そうした場面では、哲学史の果たす役割はささやかなものでしかない。しかし哲学には、たいていの学問分野よりももっと革命的な(あるいは革命的と称される)研究もある。伝統的な知的価値観が基礎的前提を問いただすことを推奨し、その姿勢に報いるからだ。そのため哲学史が担う役割も大きなものとなるのである。

哲学のように、基礎的前提を問い直すのを厭わない学問がわれわれの文化にあるのは、たしかに好ましいことではある。しかし、平素からあらゆる前提に疑問をぶつけるのは、言われたことにいちいち「なんで?」と聞き返してくる子供も同然だろう。説明や正当化がいつまでも続くとは思えない。あらゆる前提を保留にするのは、知性の麻痺そのものである。われわれには、発するべき問いを教え、なすべきことの優先順位を決める知識が必要なのだ。哲学は、前提を洗い直すことと、それを役立てることとの微妙なバランスをとらなければならない。第7章で述べたアブダクションの方法はその手助けとなるだろう。

9　他分野を活用する

さまざま分野で、しかるべき方法にもとづいた組織立った研究がなされている。数学、物理学、生物学、歴史学、経済学、心理学、言語学、社会人類学、計算機科学……。哲学もそのひとつだ。どの専門領域も、ほかの分野の声を無視することはできない。それぞれがよそから何かを学んでいる。異なる専門分野のアイデアや知識の組み合わせからは、創造的な仕事がたえず生まれている。哲学も例外ではない。とはいえ、哲学がなにかしら派生的な地位に置かれるわけではない。数学に依拠しているからといって、物理学が派生的な学問と呼べないのと同じだ。しかし、他分野との出会いの場に哲学者が独自の技量をもって臨まなければ、自分たちの仕事に新たに付け加わるものは何もないだろう。分野間の影響関係は、教えかつ学ぶというかたちで、双方向に働くことが多い。哲学はさまざまな点でほかの分野から学んでいるが、この章ではその一端を具体例で説明しよう。

歴史学

哲学は歴史学と一部重なるところがある。どちらも哲学史を含むからだ(第8章を参照)。しかし、哲学史以外の哲学も歴史学のほかの分野に学ぶことができる。

たとえば政治哲学がそうだ。社会はいかに組織すべきかを政治哲学は問う。ある見解によれば、もっともすぐれた政治体制は慈悲深い独裁制である。政治哲学としては、いたってシンプルな学説といえるだろう。だが本当に正しいのだろうか。実際には、慈悲深い独裁制は政治体制ではない。慈悲深さは統治の構造ではなく、個人にたまたまそなわった心理学的形質にすぎないからだ。次の代の独裁者も慈悲深いという保証がどこにあろうか。この人物が、民衆の望むもの、必要とするものを理解しているとどうして言い切れるだろうか。そもそも、慈悲深い独裁制なるものの実像とはいかなるものだろうか。これは歴史学の問題である。

「この制度がうまく機能している実例はないが、それでもベストな説だ」と言ったのでは答えにならない。政治体制で肝心なのは、血の通った人間の生きる世界で、それが実際に機能するかどうかだ。慈悲深い独裁制を推す人には、それが実際にほかの体制よりもうまく機能しているエビデンスを要求すべきである。実例として、ヨシップ・ブローズ・ティトー(一八九二―一九八〇)の名前があげられることがある。一九四四年から亡くなるまでユーゴスラヴィアを指導した共産党のリーダーだ。彼が死去して数年後、国家は分裂して泥沼の内戦状態に陥った。その責任はティトーにあるのだろうか。それとも、生前このような戦争が起きるのを防いだとして、彼を讃えるべきなのだろうか。彼が統治した時代の生活とはどんなものだったのだろうか。実際のところ、彼はどの程度慈悲深かったのだろうか。筆者には中立的な立場にたった判断ができそうにない。ティトー批判の論文を国外で出版した義父が、一四箇月にわたる獄中生活を余儀なくされているからだ。控えめにいっても、ティトー体制を評価する作業はとても一筋縄では行かない。歴史の深い知識が要求される。慈悲深い独裁制を擁護する人が「ティトーは当てはまらない」と否定するなら、誰がそれに当たるかを明確にすべきである。そうすれば、彼らがあげる実例を史実に照らして検討できる。彼らが「これまでのところ、独裁者が慈悲深かった例はない」と答えるのなら、「じゃあ、どうしてそれがうまく行くってわかるんだ?」と問えばいい。

政治哲学者が最良の政治体制を論じる場合、慈悲深い独裁制よりもはるかに面倒な案が検討されるのがふつうである。たとえば欧米流のリベラルな民主主義などだ。しかし、そうした案についても同じような問いを投げかけてしかるべきである。

歴史は、各種の政治体制が実際にどう機能しているかを記す唯一の記録であり、現実的な条件のもとでできる政治学的実験にもっとも近いものである。何が最良の体制かを判断するのに歴史を無視してしまっては、知的にも政治的にも無責任というしかない。現代の政治哲学者の多くは、歴史的事例の細部に立ち入っての議論こそ避けるものの、その見解は、歴史から彼らが受ける印象と密接に絡み合っている。たとえば民主主義と独裁制を比較した際の印象などだ。当代一級のアメリカの政治哲学者ジョン・ロールズ(一九二一—二〇〇二)は、政治哲学を理想理論と非理想理論とに区分した。理想理論とは、犯罪や汚職、人びとの偏狭さ、飢えといった実生活の暗い側面を捨象した理論をいう。それに対して、これらを考慮するのが非理想理論である。非理想理論では、理想理論よりも多くの注意が歴史に向けられる。ロールズ自身は理想理論を重視したが、現在は非理想理論が活発に論じられるようになっている。このさき何十年かは、政治哲学で歴史がますます重要な役割を担うようになるかもしれない。哲学者の偏見を助長するのではなく、理論が現実に即しているか否かをチェックする機能を歴史が果たすには、自分がたまたま気に入った通俗的な歴史ではなく、真摯な研究者の手で記された歴史を活用する文化が必要である。

社会人類学

社会人類学が研究するのは、人間のさまざまな社会と文化である。それらはどう組織されているのか。そこに暮らす人びとは何を信じ、何を尊重し、何を作り、何をしているのか。どんなふうに考え、感じ、行動しているのか。社会人類学者は、できるだけ社会の内側から研究しようとする。場合によっては何年間もそこで生活し、日々の暮らしを観察し、言語を学び、住民に質問する。歴史学と人類学では用いられる方法が違うが、いずれの学問も、過去や現在のほかの社会が自分たちの社会と大きく異なる点もあれば、ごく似ている点もあることを教えてくれる。こうしてわれわれは、よその社会を内側から、自分たちの社会を外側から見ることを学ぶのである。

イギリスの人類学者エドワード・エヴァンズ゠プリチャード（一九〇二―七三）は、中央アフリカのザンデ族を研究した。彼らにとって呪術が果たす役割、妖術信仰、託宣——雛鳥に毒を与えて、それが及ぼす効果を見る——を用いた意思決定がテーマだった。死者を研究する歴史家とは違い、エヴァンズ＝プリチャードは、こうした研究をすべてザンデ族の人びとと話し合いながら進めた。彼らの信念に異を唱え、それに対する返事に耳を傾けたのである。彼は宗主国で教育をうけたキリスト教徒ではあったが、託宣による意思決定を試して、この方法が実際に有効であることを確認した。水と油のように考え方が違うことがらについて、彼とザンデ族の人びとは理性的な意思疎通をおこなったのだ(図8)。

哲学者のなかにはこんな意見がある。「概念枠」が違えば意思疎通は成り立たない。ちょうど、翻訳のできない言語のあいだで意思疎通ができないように。その一方で、概念枠が異なることなどありえないという意見もある。社会人類学の知見では、どちらの見方もある程度までは正しい。たしかに人間のさまざまな文化のあいだには根本的な違いがありうる。しかし、そうした違いを超えて理性的に意を通じ合うことは可能なのだ。ある種の人びとの考えとは裏腹に、言語は世界観でも生活形式でもない。われわれの考え方や振る舞い方はそういったもので決まるわけではない。むしろ言語は市が立つ広場に似ている。対立する世界観や生活形式をもつ人びとが、ときには平和裏に意見を交換できる場である。

とはいえ、世界観や信念体系に真偽の点で優劣がないということではない。あらゆる信念が何らかの意味で同じように真であるという極端な相対主義の信条は、ほかの信念からの異論を真面目に取り合わないことを意味する。こちらが正しくて向こうが間違っているという可能性を否定

図８　植民地の一光景．エヴァンズ＝プリチャードとザンデ族の少年たち

することは、向こうが正しくてこちらが間違っているという可能性を否定することでもあるのだ。

言語学

哲学は、ほぼ言葉だけを用いて進められる。たしかに図が使われることはあるし、言葉のない音楽や舞踏、絵画、彫刻でも哲学のアイデアは表現できると言う(もちろん言葉で!)人もいる。しかし、そうしたアイデアの価値をきちんと論じようとすれば、言葉の使用は避けられない。言語は哲学にとって不可欠の媒体なのだ。もし言葉の働きを誤解すれば、哲学のやり方も粗雑になりかねない。

哲学の論証の評価では、言葉が妥当なパターンで用いられているかどうかがチェックされる。「ものごとは起こるべくして起こる」という寸言には深い意味があるのか、それとも浅薄な意味しかないのか。意見の分かれるものなのか、それとも自明のことを述べているだけなのか。すべては「べし」という言葉の働きにかかっている。

もうひとつ例をあげよう。「ジェーンは、5たす7が12だと信じている」と誰かが言ったとする。当然これには文句がでそうだ。「たすと12になると信じてるんじゃない。12になると知ってるんだ」と。こうした事例から、一部の哲学者は、信念がなくても知識はありうると結論する。でも、ちょっと待ってほしい。「パリはフランスの都市だ」と誰かが言えば、「フランスの都市なんかじゃない。パリは首都だ」という文句が返ってきてもおかしくはない。だがこれを「パリはフランスの都市ではない」という趣旨に解するとしたら、天の邪鬼というものである。「パリはフランスの都市だ」への異論のポイントは、それが言い過ぎではなく言い足りないということなのだ。都市であるという点に関しては、たしかにそのとおりで間違いではない。けれども、「パリはフランスの首都だ」と言ったほうがもっと親切だし、誤解も少なくてすむ。同様に、「ジェーンは、5たす7が12だと信じている」への文句は、これが言い過ぎなのではなく、言い足りないということなのだ。たしかに間違っているわけではない。しかし、「ジェーンは、5たす7が12だと知っている」と言ったほうが親切で誤解も少なくてすんだだろう。ここでの「じゃない」という否定は、言語学でいうメタ言語的否定であり、直前の発話を偽ではなく不適切として退けるものなのである。結局、信念なき知識があることを示すと称する先ほどの論証は、言語学者の注目する現象を無視することの上に成り立っているのだ。

哲学のほとんどの問題は、言葉の働きを理解しただけでは答えられない。だが、そうした理解のおかげで、不出来な答えを導き出す論証の誤りに気づくこともある。言語学では言葉の働きが研究のテーマなので、この分野の知識は哲学上の誤りを避ける一助になるのだ。

哲学の一分野である言語哲学は、言語それ自体を研究対象としている。この分野は、言語学、とくに意味論と語用論との関わりが深い。意味論は言語的意味についての研究、語用論はさまざまな会話の文脈での言語使用についての研究である。言語哲学は言語学と重なる部分も大きい。実際、現代の意味論と語用論の理論的枠組みは、そのほとんどが言語哲学の研究者が生み出したものだ。意味論ではドナルド・デイヴィドソン、リチャード・モンタギュー、デイヴィッド・カプラン、ソール・クリプキ、デイヴィッド・ルイス、ハンス・カンプ、語用論ではJ・L・オースティン、ポール・グライス、ジョン・サールといった面々である。彼らが発案した研究プログラムは、言語学者の手によって応用され発展をとげた。多くの場合、そこで用いられる方法は哲学者のものと似ているが、研究対象の言語はさらに増え、集められたエビデンスもいっそう幅広いものとなっている。哲学者が言語に寄せる関心は昔から絶えることがない。人間にとって言語は思想を表現し、情報を伝達するもっとも主要な手段である。哲学者が言語学から学び続けるのも当然だろう。

心理学

元来、心の研究は哲学の領分だった。通常そこで用いられたのは、系統的とは言いがたい内観の手法だった。自分の意識をのぞき込んで、そこで起きていることを観察し、その結果を理論的に考察するのがこの方法である。

一九世紀以後、もっと組織立った実験方法が導入され、感情の強度などの心的現象が研究・測定されるようになった。心理学は自然科学の相貌を帯びるようになり、哲学から離れてしまったのである。それでも、現代の言語哲学者が言語学と緊密につながっているように、心の哲学の研究者は心理学と密接な関わりをもっている。たとえば、知覚(視覚、聴覚、触覚、嗅覚、味覚)や記憶に関心があれば、実験心理学の成果を無視するのは愚の骨頂だろう。内観は、心で起きている

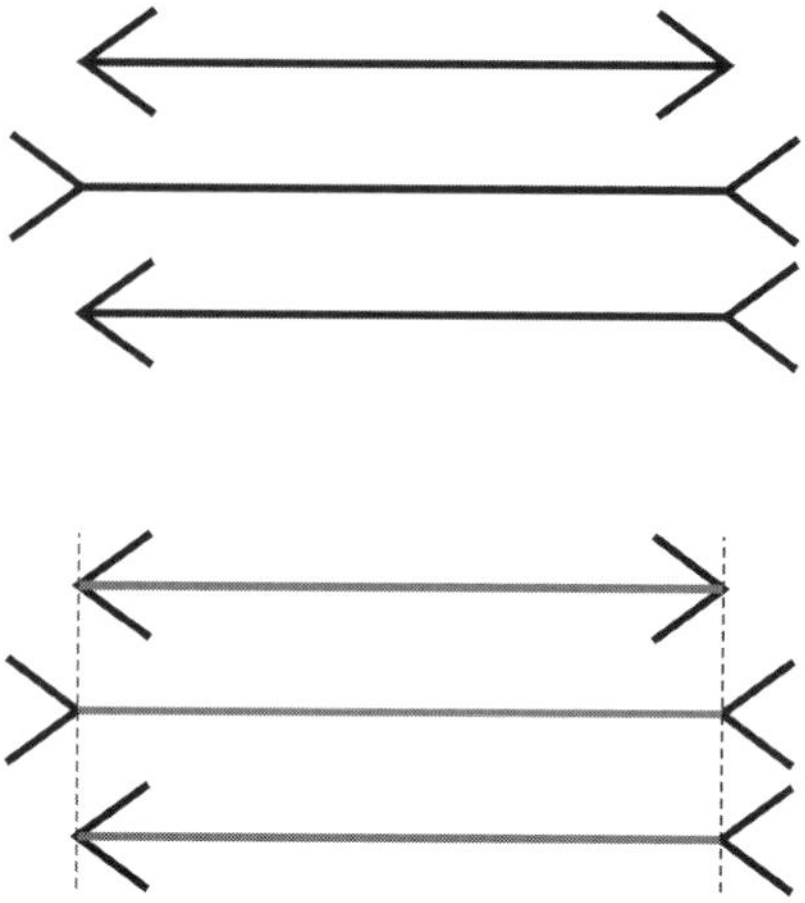

図９　ミュラー＝リヤー錯視

ことを知る方法としては信頼性に欠けることが明らかになっている。特等席から見物しているかに見えて、実のところ芝居のほとんどは舞台裏で進行しているのだ。われわれが払う注意は、思いのほか範囲が狭い。その点を自覚して、心の哲学がさらに深く探究の歩みを進めるには、実験心理学の助けがぜひとも必要なのである。

実験心理学でも心の哲学でも、錯覚は考察の材料のひとつとされている。われわれはヒューリスティクス――すなわち、大ざっぱな経験則――にもとづいて自分が知覚しているものを理解しているが、このヒューリスティクスの信頼性には思いもよらない限界があることを錯覚は教えてくれるのだ。よく知られる例として、一八八九年に見つかったミュラー＝リヤー錯視がある。ふつう、この錯視は次のように説明される。いまここに長さの等しい二本の平行線があって、一方には両端に矢じりのような線が、もう一方にはヒレのような線がついている(図9)。

ヒレのある線は矢じりのついた線よりも長く見える。とくに目を引くのは、錯視だと気づいたあとでもこの印象が消えない点だ。長さを計って二つが等しい長さだとわかっても、一方の線が長く見えてしまう。これが哲学者に教えているのは、知覚的な見かけと知覚的信念は同じではないということである。持続するのは一方の線のほうが長いという見かけであり、一方の線のほうが長いという信念ではないのだ。

哲学のなかで、心理学から学んでいる分野、心理学から学ぶべき分野は、心の哲学だけではない。認識論の一部の研究者は、デカルトに感化された次のような説にいまだ固執している。いわく、われわれがエビデンスとして頼れるのは、現在の内的意識状態しかない。そのほかの信念が正当かどうかは、すべてこの土台との関係によって決まる。つまり、われわれが直接アクセスできるのは自分の内的意識だけであり、外部世界には間接的にしかアクセスできない、と考えるのである。このような見方は、内的意識が何らかの内観によって余すところなくとらえられでもしないかぎり、ほとんど筋が通らない。彼らの考え方は、現代の心理学の知見と容易に折り合いのつかない臆見でしかないのだ。

そうはいっても、認識論の研究は心理学にまかせるべきだという話ではない。認識論の研究者が、人間の心にたまたま付随する特徴とは独立に成り立つ理論を目指すのは、至極正当なことである。同じように、心理学者がその種のたまたまそなわっただけの特徴について理論を構築しようとするのも正当なことだ。しかし、認識論の研究者が人間の心についての時代遅れの理論や誤解に依拠するならば――実際その手の例は少なくない――人間の心を含む、あらゆる心についての一般理論など望むべくもないのである。

経済学

経済学者を、経済政策について何の役にも立たないアドバイスをする連中のことだと思う人は、「哲学者が彼らから学ぶことなど本当にあるのだろうか？」と訝るかもしれない。しかし、理論経済学の大半の研究は、アドバイスを与えることが目的ではない。その狙いは、エージェント（経済主体）の複雑な意思決定を理解することにある。たがいに影響し合い、それぞれが自身の課題を追求し、環境や未来や他者については不確実な情報しかもたず、希少資源をめぐってしばしば争い、ときに協調行動をとる、そうしたエージェントの意思決定である。従来、エージェントは最小限の合理性の基準を満たしていることが前提とされていた。崇高な善に配慮はしなくても、少なくとも矛盾した行動はとらないものと想定されたのだ。たとえば、エージェントがオレンジよりもリンゴを好み、ナシよりもオレンジを好むなら、リンゴよりナシを好むことはない、といった具合である。経済学者も、現実の人間がときに矛盾した行動をとることは承知している。それでも彼らは、合理性の仮定を、理論の出発点として十分役に立つ現実の良好な近似と考えるのだ。実験経済学では、理念モデルから導かれた予測と、実際に観察された人間の行動とのギャップが研究されている。

理論的性格のもっとも強い経済学は、抽象性と一般性の点で哲学と似ていなくもない。ただし、哲学の関心が基本的な前提にあるのに対して、経済学はそうではない。経済学の関心は、そうした前提を用いて、いっそう洗練された数理モデルを展開するための精密な枠組みを作ることにある。哲学と経済学は、意思決定の合理性に関して多くのアイデアを共有している。たがいに学びあえる関係ということだ。

協調や競争がおこなわれるケースの多くでは、それぞれの陣営が相手の打つ手を予想して動く。たとえば、こちら側は、相手がこちらの予想をこう予想するだろうと予想する。相手側は、こちらが相手の予想をこう予想するだろうと予想する、等々。予想はまるで切りがないかのごとく、どんどん複雑になっていく。そうした予想によって意思決定は左右されるのだ。金の隠し場所をあなたが知っていることが私にバレているとわかっていれば、自分の動きを私にさとられまいと注意を怠らないだろう。「こいつは、オレが隠し場所を知らないと思っているな」と思えば、わざわざ用心などしないかもしれない。知識についての知識や、信念についての信念がもつ複雑な構造は、実践上の違いにもつながっていくのである。

認識論理が研究するのは、そうした知識の複雑な構造である。現代的なスタイルの認識論理は、フィンランドの哲学者ヤーッコ・ヒンティッカ(一九二九―二〇一五)の研究から始まった。自己知にまつわる哲学の伝統的問題を解明するために考えたのがこの論理だったのだ。われわれは、何かあることを知っているとき、自分が知っていることを知っているのだろうか。知らないとき、自分が知らないことを知っているのだろうか。筆者自身、あるエージェントのモデルを研究したことがある。当人のもつエビデンスに照らすかぎり知らないことがほぼ確実であるにもかかわらず、知識があると認められるエージェントのモデルだ。[★1] 経済学者や計算機科学の専門家は、認識論理が自分たちの研究にとって最良の枠組みを提供してくれることに気づいた。そして、この分野に大きな理論的貢献をなしたのである。その戦略はこうだ。ある面では理想的条件を満たし、ある面では制約のあるエージェントの知識を、数理モデルのかたちで検討する。それによって当の制約にどんな具体的効果があるかを浮き彫りにするのである。たとえば、演繹的推論の能力は完璧だが、他者がどれだけのことを知っているかについては無知なエージェントの研究がそうだ。認識論理の分野での理論経済学者シン・ヒョンソンとの仕事は、筆者の共同研究でもっとも実りの多かったもののひとつである。[★2]

意思決定理論や認識論理、さらにこれらと類似の研究は、哲学的な目的を掲げながらも数学を手段としており、経済学や計算機科学など多くの分野に応用されている。哲学者は、当然のことながら、こうした共同研究に独特の重きを置くが、関心そのものはほかの分野の人びとと基本的に異なるわけではない。哲学とそのほかの分野との境界線が走る土地そのものは、切れ目なく広がっているのだ。

計算機科学

理論計算機科学の専門家が認識論理に関心を寄せたのは、分散システムを研究していたからだった。この種のシステムでは、作業をいくつものコンピュータに分散し、それを同時に実行する（コンカレント処理）。その際、コンピュータどうしで連絡を取り合うことが不可欠になる。あるコンピュータがほかのコンピュータにメッセージを送れば、送信側のコンピュータはそれがちゃんと相手に届いたかを「知る」必要がある。一方、メッセージを受け取った側のコンピュータも返事を送って、自分が最初のメッセージの情報を「知って」いることを送信側に「知って」もらう必要がある。さらに、最初のメッセージを受け取ったコンピュータは、自分が肝心の情報を「知って」いることを送り手のコンピュータも「知って」いることを「知って」おかなければならないかもしれない……。こうした問題を一般理論として扱おうとするとき、認識論理はもっともすぐれた枠組みを提供してくれるのだ。

しかし、計算機科学と哲学をもっとも強固に結びつけるのは認識論理ではない。計算機科学にとって、ハードウェアとソフトウェアの区別は基本中の基本である。ノートパソコン、つまり手を離せば床に落ちてしまう物理的な機械はハードウェア。その上を走るプログラム、すなわち命令の順序集合はソフトウェアだ。いろんなプログラムが同じひとつのコンピュータ上で走る。また、同じひとつのプログラムがいろんなコンピュータ上で走る。製品の製造元が違ってもかまわない。ソフトウェアはハードウェアよりも抽象的である。これをヒントに、哲学者は心と身体の違いを理解しようとしてきた。そのアイデアとは次のようなものだ。人間の脳とは化学構造がまったく異なる「脳」をもつ知的な地球外生命体も、5＋7＝12であることを知っているかもしれない。われわれと彼らのハードウェアは異なるが、ソフトウェアの一部、5＋7＝12という知識そのものに違いはない。両者が同じ算数のプログラムを実行していることもありうる。ソフトウエアはハードウェアに還元できない。それと同じで、心も身体には還元できない。とはいえ、われわれの一部が「魂材料」とでも呼ぶべきふつうとは違う物質でできているわけではない。ノートパソコンの一部が「プログラム材料」という特別な物質でできているのではないように――。

ただし、心とソフトウェアのアナロジーを認めない哲学者もいる。たとえばチャルマーズの考えでは、ソフトウェアを実行するだけならゾンビにもできるが、われわれのような意識がゾンビにあるわけではない。これとは別に、意識は洗練度を極限にまで高めたソフトウェアだという哲学者もいる。いずれにせよ、心の理解にあたって物理主義者はどんな材料を利用できるのかという問題は、ソフトウェアとハードウェアの区別がついてようやく検討できるようになったのである。しかも、計算機科学と人工知能分野のその後の発展は、ソフトウェアにどれだけ多くのことができるかを示してみせたのだ。

生物学

心の哲学の中心戦略のひとつに、心的状態を機能の観点から理解するという路線がある。知識や信念、欲求や意図、感情や感覚はいったい何のためにあるのだろうか。この問いは、ソフトウェアのアナロジーにひとつの限界があることを示唆している。通常、プログラムはプログラマーが意図することを目的とする。しかし人間は、その意味ではプログラムされていない。もちろん、親や教師はいろいろと意図するところがあって子供に接するだろう。社会や神も人びとに対してそれぞれ意図するところがある、という意見もある。しかし、基本的にそうした存在は、プログラマーが指令を書き下ろすようにわれわれの具体的な心的状態を書き下ろすわけではない。そもそもわれわれは、自分の心的状態を前もって意図していないのがふつうである。気づいてみれば、そうした状態にあるというだけだ。たとえば棘で身体を引っ掻いたとき、痛みを感じることを意図したりはしない。たんにそれを感じるだけである。それでも「痛みは何のためにあるのか？」と問うことには意味がある。また、「その機能は怪我をしないように注意を喚起して、しかるべき行動をとらせることにある」と答えることにも意味がある。そうした仮説は、心的状態とは何かを説明するのに役立つかもしれない。

このような意図をぬきにした機能のお話は、どう考えれば理解しやすいだろうか。ここで真っ先に参照すべきは生物学だろう。心臓の機能は体中に血液を送り出すことにある。それが何者かの意図であろうとなかろうと関係ない。そもそも心臓のある動物のほとんどは、心臓が血液を送り出していることを知らないのだ。生物学的機能は、常日頃からふつうに働いているわけでもない。精子の機能は卵子を受精させることだが、ほとんどの精子はそれをせずに終わってしまう。もっと参考になりそうなのは進化論的説明である。大ざっぱにいえば、いま精子があるのは過去の精子がときおり卵子を受精させたから、というのがその説明だ。それと同じで、われわれが痛みを感じるのは、われわれの祖先が怪我から身を守るのに役立ったからなのかもしれない。さらに敷衍していえば、知識の機能は、環境の複雑な変化に対してすばやく柔軟に適応することにあるとは言えないだろうか。

生物学的機能という観点からものごとがどこまで説明できるかについては、哲学者によって意見がまちまちである。しかし、この概念がなければ、哲学者が使う理解のための道具はひどく貧しいものになるに違いない。

物理学

形而上学《メタフィジックス》は、実在の一般的性質――その構造と内容――を研究する哲学の一部門である。名前を聞くと、物理学《フィジックス》の手の届かない実在の側面を扱うのが形而上学だと思われるかもしれないが、それは誤解だ。もともとは、アリストテレスの著作群で、『自然学《ピュシカ》』のあとに配置された作品を意味していた。物理学は物理的実在の一般的性質、すなわちその構造と内容を研究するので、関心の範囲からいえば形而上学とも重なる。たとえば時間の研究は、物理学と形而上学の双方でおこなわれている。

それぞれの分野が時間に寄せる関心を区別しようとする人もいる。たとえば、哲学者が研究するのは時間の論理や時間の経験だが、物理学者が研究するのは時間の物理的側面であるというように。しかし、そうした区別はどれもうまく行っていない。物理学と哲学の両方に属する問題もあるからだ。何の変化もともなわずに時間が過ぎることはありうるのか。時間に終わりはあるのか。任意の二つの時点のあいだには、さらに別の時点があるのか。こうした問いは、われわれの時間の経験や記述だけでなく、時間そのものの性質に関わっている。

過去と現在と未来とに出来事を区分することは、日頃われわれがもっている時間についての考え方の基本といっていい。ところがアインシュタインの特殊相対性理論は、この区分にとって悩みのタネとなる。この理論では、ある座標系で同時に起こったものとして観測される事象が、別の座標系では同時でないこともありうるからだ。「正しい」座標系とか「間違った」座標系というものはないらしい。つまり、すべての出来事が一本の時間軸のうえに順番に並んでいるという通常の前提が危うくなるのである。相対性理論によって常識的な時間の形而上学がどこまで揺らぐかは、いまも議論がなされているところだ。しかし、時間の形而上学に取り組んでいながらアインシュタインの理論の含意に無頓着だとしたら、哲学者としてはあまりに呑気というしかない。

二つの分野にまたがる話題は時間だけではない。量子力学の解釈は、哲学者にとっても物理学者にとっても問題になる。研究者が「物理学の哲学の専門家」と見なされるか、「基礎的問題に取り組む理論物理学者」と見なされるかは研究の内容にもよるが、たまたま所属する先が哲学科か物理学科かによることもある。同じような問題を掲げ、同じような方法で答えることも彼らにはあるのだ。

数学

たいていの分野が何らかのかたちで数値を利用しており、その意味で数学に依拠している。分類したり数えたり計ったりして、統計データを生成しているからだ。仮説は多かれ少なかれ蓋然的な性格のものである。そうしたことがらについて系統立てて推論する場合、数学的な確率論が最良の枠組みとなる。ここでも哲学は例外ではない。第10章では、哲学において数学が担う重要な役割をひとつ説明しよう。

10　モデルを作る

科学のモデル

多くの自然科学者が目指す進歩には際立った特徴があるが、いま哲学者のあいだには、自分たちもそうした進歩を目指すべきだという見方が広まりつつある。

新たな自然法則を発見すること。科学の進歩といえば、これが通り相場の見方だろう。この場合の法則とは自然界についての普遍的一般則であり、必然的ともいえるかたちで、あらゆる時と場所で例外なしに成り立つものをいう。なるほど、それが見つかれば結構なことには違いない。しかし、自然科学と社会科学が研究するのは整然さとはかけ離れた複雑な系――細胞、動物、惑星、銀河、家族、組織、社会――がほとんどであり、普遍法則による特徴づけが簡単にはいかないものばかりなのだ。たとえば、すべてのトラに成り立つ法則とは何だろうか。「トラはみな縞模様である」はアルビノのトラもいるのでダメだし、「トラはみな足が四本ある」も三本足のトラがいるので成り立たないし……。「トラはみな動物である」はたしかに真だが、法則としてあまり感心できるものではない。自然界のあらゆる事物がそうであるように、トラも物理の基本法則に従うのは事実である。とはいえ、そうした法則をあげたところで、生物学者の気休めにもならない。素粒子や恒星とは対照的な存在である生き物について、彼らは何か具体的なことを言いたいからだ。当初の試みよりも目標を低くして慎《つつ》ましい一般則を探していけば、いつかは例外のない法則に行き当たるかもしれない。だが、そうやって見つけた法則はあまりにも弱すぎて情報量に乏しく、面白みに欠けることが危惧される。これは動物だけの問題ではない。あらゆる形や大きさの複雑系が、整然さとはかけ離れた姿で、規則による把握を拒んでいるのだ。

この問題に対処するために、科学者たちは目標の修正を重ねてきた。複雑系で普遍的に成り立つ法則を探すかわりに、系を単純化したモデルを作るのである。モデルは物理的なかたちをとることもある。砂を入れたトレイに水を流すことで河川による土手の浸食をモデル化したり、彩色した棒と球を組み合わせてDNA分子をモデル化したりといったように。もっと一般的なのは、数式で仮説的な系の経時変化を記述する抽象的なモデルである。仮説的に設定された系は、研究対象である現実の系よりもはるかにシンプルだが、いくつか重要な特徴は引き継いでいる。この系の振る舞いを数学的に解析し、現実の系が見せる厄介な挙動をシミュレートすることで、その解明につなげようという戦略である。

例をあげよう。捕食者の個体群と被食者の個体群――たとえばキツネとウサギの集団――ではメンバーの数がたえず揺れ動いているが、一方の増減の動きは他方の増減の動きと一致しない。

そこで、なぜそうなるのかという疑問が浮かぶ。肝心なのは、特別な事情がないかぎり、キツネの数が多くなればなるほど餌として犠牲になるウサギも増えていくけれども、ウサギの数が多ければ多いほど生き残る仔ギツネも多くなるという点である。それぞれの個体群の増加率と減少率は、捕食者と被食者の数に着目して微分方程式で表すことができる。ロトカ＝ヴォルテッラ・モデルと呼ばれるものだ。このモデルは多くの点で極端な単純化をおこなう。ウサギが採餌する草の変化、キツネとウサギを狩る人間たちの狩猟傾向の変化、キツネの個体間のばらつき、ウサギの個体間のばらつきなど、さまざまな面が捨象される。こうした因子によっても個体数は左右される以上、くだんの方程式が普遍法則を表しているとはいえない。もっと言えば、そもそもそれは不可能だろう。数学的な理由から個体数の変化は連続量として扱われるが、実際の変化は非負の整数値をとるからである。二〇〇頭のウサギのうち一頭が死ねば、個体数はただちに一九九頭になる。変化の過程で一九九・五頭になることはないのだ。しかし、こうした過度の単純化にもかかわらず、このモデルは捕食者と被食者の個体数の変化に広く見られる構造的特徴を正しく予測してくれる。今日の自然科学に見られる進歩は、その多くがこうしたたぐいのものなのである。いったん良好なモデルができれば、現実の複雑さを少しずつそこに組み込んでいけばいい。それでも、モデルが現実よりもはるかに単純であることに変わりはない。またそうでなければ、複雑すぎるモデルは分析にあたる者の手に余ってしまうだろう。

モデルを作る以外にうまい策がないケースもある。たとえば生物学では、二つの性による生殖がなぜ動物界の標準なのかが問題になる。原理的には三つの性による生殖も無性生殖も可能だからだ。実際には起きていない現象について、なぜ起きないのかを理解しようと思っても、観察したり測定したりするわけにはいかない。そういう場合には、現象のモデルを作って、どこが「まずい」のかを調べるのが好手である。たとえば、二つの性による生殖と三つの性による生殖の両方がおこなわれるモデルや、二つの性による生殖と無性生殖がおこなわれるモデルを作ってみて、どちらの生殖のタイプが種の遺伝的多様性をうまく実現し、環境の変化に対して進化的適応ができるかを調べるのだ。この種のモデルは、定量的な予測ではなく、現象の不在を説明することに狙いがある。

哲学のモデル

人間は、整然さを欠いた複雑系の古典的事例にあたる。哲学のすべてとはいわないまでも、その大半は、何らかのかたちで人間を主題としている。たとえば道徳哲学や政治哲学では、おもに人間のよき生やよき社会が論じられる。科学哲学では科学という人間の営みが、芸術の哲学では人間の生み出した芸術が、言語哲学では人間が用いる言語がテーマである。心の哲学では人間以外の動物の心にもある程度の注意が払われるが、おもな焦点は人間の心にある。もっとも、動物もまた整然さとはかけ離れた複雑系であることに違いはない。原則論としていえば、認識論はあらゆる知識がテーマだが、実際には人間の知識におもな関心が注がれている。そこそこ例外といえるのは論理学と形而上学だろうか。この分野が扱う問題はおおよそ基礎的なものなので、面倒な複雑さにそれほど煩わされずに、情報量があって精密で例外のない法則が定式化できるからである。しかし、それ以外の分野に関しては、モデル作りが戦略としてふさわしいようにも思える。だが実際には、そうとは考えない哲学者が大半なのである。人間のように扱いに手を焼く複雑な系であっても、例外なしに成り立つ普遍法則の定式化を目標にする人がいまだにたくさんいるのだ。こと人間に関するかぎり、自然科学者はそうした野心をあらまし放棄してしまっている。ところが哲学者は、迂闊にも、ないもの探しで自分から失敗のお膳立てをして、哲学そのものに害を与えてきたのだ。自然科学の進歩と哲学の行き詰まりを対比させる人たちは、両者の誤ったイメージに依拠している場合が少なくない。すぐれたモデルを作ることがどれだけ科学に進歩をもたらしたかを理解していないため、すぐれたモデルを作ることがどれだけ哲学の進歩につながるかを考えようとしないのである。

哲学の革新的なモデル作りの例はすでに見た。認識論理の進歩はまさにそうした作業によってもたらされたものだ(第9章)。そこで登場したモデルは普遍法則を表現するものではなく、現実と大きくかけ離れた単純化がほどこされている。にもかかわらず、科学のモデルと同じように、人間の知識がどういったものかを解き明かしてくれるのである。

哲学者が確率を扱うときは、事実がどうなっているかに力点をおかず、モデルを使うのがふつうである。たとえば認識論では、不確実性の簡単なモデルとして宝くじがよく利用される。話を具体的にするために、順に番号が振られた宝くじがちょうど一〇〇〇枚売れたとしよう。当たりくじは一本だけ。くじは無作為に引く。したがって、手もとにくじが一枚あれば、外れる確率は一〇〇〇分の九九九である。このように偶然がからむケースでは、どれだけ確からしい言明ならば信じていいだろうか。一〇〇パーセントの確実性はどう考えてもハードルが高すぎるので、少なくとも九五パーセントの確率があれば信じていいと決めたとしよう。だがそうすると、ただちに問題が生じてくる。自分の決めたルールに従えば、「当たりは51以上の番号のくじである」という言明は(この言明は九五パーセント確からしいので)信じていいし、「当たりくじの番号は、大きくてもたかだか950である」という言明も(こちらもまた九五パーセントの確からしさがあるので)信じていい。しかし、「当たりくじの番号は51から950のあいだにある」という言明は(九〇パーセントの確からしさしかないので)信じるわけにはいかない。つまり、二つの言明はそれぞれ単独では信じていいけれども、両方を組み合わせた連言命題は信じることができないのである。けれどもこれは、(同じ一人の人物について)「彼はイギリス人だ」と「彼は犯罪者だ」を受け入れながら、「彼はイギリス人の犯罪者だ」を受け入れないようなものだ。テレビの討論番組でこんなへまをしでかした政治家は、相手から馬鹿にされてもおかしくない。無矛盾性を大切にする有権者も、こんな政治家は虚仮《こけ》にするだろう。人によっては九五パーセントを閾値とするのは好ましくないと考えて、別の値——たとえば九九パーセント——を選ぶかもしれない。「確からしさが少なくとも九九パーセント以上のものを信じるべし」というルールを採るわけである。しかし、わざわざ計算するまでもなく、こうした宝くじ問題を回避するには信念の閾値として〇パーセントか一〇〇パーセントを採用するしかない。ただ、閾値が〇パーセントとはどんな言明でも信じてしまう底抜けのお人好しを意味するので、もう一方の一〇〇パーセントという閾値を選択するしかないのだが、この数値は確実性の基準にほかならず、高すぎるハードルとしてすでにわれわれが退けたものである。というわけで、このような「おもちゃ」のようなモデルでも、信念の基礎を確率に求めることの難しさを明らかにしてくれるのだ。[★1]

宝くじモデルを見れば、どういった単純化が前提されているかにすぐ気づくだろう。たとえば宝くじの発行元は、実際にくじがどれだけ売れたかを公表しないかもしれない。そもそも数を把握していないことも考えられる。たとえ発売数が公表されても、「数は誤りか、またはウソである」という仮説にあえてゼロ以外の確率を割り当てる人もいるだろう。その人は、たとえば(一〇〇〇枚を超えるくじが販売された可能性を考慮して)当たりくじの番号が1,001であるという事象にゼロでない確率を割り当てたり、あるいは(くじの販売枚数が一〇〇〇枚に届かなかった可能性をふまえて)当たりくじの番号が1,000番であるよりも1番であることの方に高い確率を割り当てたりするかもしれない。しかし、そうした現実の複雑な事情を見境なしに考慮するのは、時間の有効な使い方とはいえない。むしろ単純なモデルを検討した方が、問題の核心にすばやく迫ることができるのだ。複雑な問題を理解するのにいっそう精緻な確率モデルが必要なケースについても、数学の達者な認識論の研究者によってそのモデル作りがおこなわれている。

言語哲学でのモデル作りは、少なくともカルナップにまでさかのぼる。彼の狙いを理解するために、まず意味論の背景について説明しよう。

人間の言語でとくに目を引くのは、わずかな単語と文法をマスターすれば、潜在的に無限個の有意味な文が作れる点である。たとえば、「ピカソは寝た」「ピカソのおばさんは寝た」「ピカソのおばさんのおばさんは寝た」……といった次第だ。これらの文は、たとえ過去に耳にしたり読んだりしたことがなくても、何の支障もなく理解できる。現代の意味論は、（いま並べたような）複雑な文の意味が（「ピカソ」「おばさん」「寝た」、格助詞の「の」のような）単純な構成要素の意味によってどう決定されるのか、そしてそれらの構成要素はどう結びつくのかを説明することを最大のテーマとしている。要素の結びつき方がなぜ問題かといえば、「ネコはイヌを引っ掻く」と「イヌはネコを引っ掻く」は、構成要素は同じでも意味が異なるからだ。また、文の意味は、それを構成する語の意味をただ列挙したものでもない。もしそうなら、文はたんなる語のリストになってしまう。文とは違って、そのようなリストは真偽を問えることを何も述べていない。たとえば、「ナポレオンは一八一五年に死んだ」という文は偽なることを述べているが、「ナポレオンは一八二一年に死んだ」という文は真なることを述べている。実際、彼は一八二一年に死んでいるからだ。文はこのように、語などの表現の意味が結びついて、真や偽となる何かを言えるのでなければならない。結びつきの働きを説明するには、意味とは何かを明確にする必要がある。この大がかりな企てを構成的意味論といい、その発展には言語哲学者と言語学者の双方が寄与してきた。

カルナップが現れる以前のこと。論理学者たちは表現の外延——表現が当てはまる世界のなかの現実の対象——をその意味と見なすことで、構成的意味論にかなりの進歩をもたらした。ごく単純な例で説明すれば、「ピカソ」という名前の外延はピカソその人であり、「ネコ」という名詞の外延はすべてのネコたちである。文の外延は真または偽であり、述べていることが現実問題として真か偽かによってどちらなのかが決まる。たとえば「ナポレオンは一八一五年に死んだ」の外延は偽だが、「ナポレオンは一八二一年に死んだ」の外延は真である。この種の構成的意味論、すなわち外延意味論は、複雑な言語表現の外延が構成要素である単純な表現の外延によってどう決定され、単純な表現の外延がどのように結びつくかを説明する。このアプローチは、論理語を使って作られる文に関してはきわめて有効であることがわかっている。「かつ」「または」「でない」「すべての」「ある」といった語が論理語だが、これだけでも際限なく複雑な文を作ることができる(外延意味論の規則についてはBox 3を参照。その規則は、第3章のBox 1で紹介した論理ゲームの規則と密接な関係がある)。

ところがこの外延意味論は、様相語――「〜でありうる」と「〜であらざるをえない」という言葉、あるいは「〜は可能である」と「〜は必然的である」という言葉――の扱いで障害に直面してしまう。しかし、構成的意味論はこうした語にも適用できてしかるべきである。例として「ナポレオンが一八一五年に死ぬこともありえた」という文について考えてみよう。この文の意味は「ナポレオンは一八一五年に死んだ」という単純な文の意味に「ありうる」という語の意味が結びついてできている。外延意味論では真理値が文の意味とされるので、「ありうる」の意味が「ナポレオンは一八一五年に死んだ」という文の真理値と結びつくと、結果として「ナポレオンが一八一五年に死ぬこともありえた」の真理値が得られることになる。「ナポレオンは一八一五年に死んだ」の真理値は偽であり、「ナポレオンが一八一五年に死ぬこともありえた」の真理値は(この文を相応に理解するかぎり)真である。つまり、彼が死んだのは実際には一八一五年ではなかったが、その年に死ぬことも可能性としてはあったということだ。したがって、外延意味論によれば、「ありうる」の意味が偽と結びつくと結果は真になる。しかしここで「イヌではないイヌが存在する」のような矛盾をはらんだ文を考えるとどうなるだろうか。「イヌではないイヌが存在する」の真理値は偽だが、「イヌではないイヌが存在しうる」の真理値もやはり偽である。イヌがイヌでないなどということは、ありえないだろうからだ。ところが外延意味論によると、「ありうる」の意味が「イヌではないイヌが存在する」と結びつけば、「イヌではないイヌが存在しうる」の真理値も決まるわけで、いまの場合は「ありうる」の意味が偽と結びつく場合になると考えられるのである。つまり結局のところ、「ありうる」の意味が偽と結びついて、文が偽は、外延意味論から矛盾した結果が帰結してしまうのだ。さらにこの意味論では、「〜は必然的である」の意味が真と結びつく場合も、同様の理由で矛盾した結果が導かれてしまう。

「〜は可能である」や「〜は必然的である」といった様相語の意味については、外延から得られる情報が乏しすぎることにカルナップは気づいた。根本の問題は、外延意味論では現実世界の外延しか考慮されないが、様相語は現実以外の可能世界の外延にも関係しているという点である（このあたりの概念を彼がどう表現しているかについては、第8章を参照）。「〜は可能である」のような様相語に関する構成的意味論を作るために、カルナップは意味を外延ではなく内包と見なした。語や文の内包は、現実世界も非現実世界も含む、すべての可能世界における外延の全体と考えたのである。カルナップは、「〜は可能である」の意味が任意の文「A」の内包とどのように結びついて、「Aは可能である」の内包（および外延）が得られるかを示した。「〜は必然的である」についても同じである。要するに、「〜は可能である」を「ある可能世界において〜である」と解釈し、「〜は必然的である」を「すべての可能世界において〜である」と解釈したのだ。つまりカルナップは、様相語に対して、外延意味論ではなく内包意味論を与えたのである。彼はまた、外延意味論がうまくいく場合、それを内包意味論にたやすく変換できることも示してみせた（内包意味論を少しだけ覗いてみたいという人は、Ｂｏｘ３を参照）。

カルナップが完全な内包意味論を与えたのは、人工的な形式言語に対してであった。どんなに複雑な式であろうと、式はみな内包をもっており、その内包はもっとも単純な構成要素の内包から一歩一歩段階をおって決定される。意味のモデルとしては、外延意味論よりもはるかに洗練された理論である。カルナップのこの内包意味論は、リチャード・モンタギュー、ソール・クリプキ、デイヴィッド・ルイスなど多くの人びとの仕事を通じて、言語哲学と言語学の一分野である意味論の双方に大きな影響を及ぼしてきた。モデルはますます精巧なものになっているが、そのどれもが外延から内包への決定的転換という路線を踏襲しているのである。

カルナップは、従来の研究者たちよりも多くの情熱をモデル作りに注いだ。彼が形式言語を作ったのは、数学を展開するためでも、あらゆる言語に潜む本質を明らかにするためでもなかった。単純なモデル言語を作った狙いは、「〜は可能である」や「〜は必然的である」といった言葉の働き方を示すことにあった。そうすることで、彼は自然言語の仕組みにも光を当てたのだ。なにげないふだんの会話でさえ、その根底にはとてつもない複雑さが潜んでいる。それについて多くを知れば知るほど、言語哲学者も言語学者も、モデル作りという方法にますます依拠せざるをえ

かつ　「A」がwで真かつ「B」がwで真ならば，「AかつB」はwで真である．
「A」がwで偽または「B」がwで偽ならば，「AかつB」はwで偽である．
または　「A」がwで真または「B」がwで真ならば，「AまたはB」はwで真である．
「A」がwで偽かつ「B」がwで偽ならば，「AまたはB」はwで偽である．
でない　「A」がwで真ならば，「Aでない」はwで偽である．
「A」がwで偽ならば，「Aでない」はwで真である．
〜は必然的である　「A」がすべての可能世界で真ならば，「Aは必然的である」はwで真である．
「A」がある可能世界で偽ならば，「Aは必然的である」はwで偽である．
〜は可能である　「A」がある可能世界で真ならば，「Aは可能である」はwで真である．
「A」がすべての可能世界で偽ならば，「Aは可能である」はwで偽である．

Box 3
外延意味論と内包意味論

外延意味論

複雑な文は,「かつ」「または」「でない」を使って単純な文から構成される. 文の外延は, 真理値——真または偽——である. 複雑な文の外延は, それを構成する文の外延から, 次の規則に従って決定される(「A」と「B」はその言語に属する文を表す).

かつ　「A」が真かつ「B」が真ならば,「A かつ B」は真である.
　　　「A」が偽または「B」が偽ならば,「A かつ B」は偽である.
または　「A」が真または「B」が真ならば,「A または B」は真である.
　　　「A」が偽かつ「B」が偽ならば,「A または B」は偽である.
でない　「A」が真ならば,「A でない」は偽である.
　　　「A」が偽ならば,「A でない」は真である.

内包意味論

複雑な文は,「かつ」「または」「でない」「〜は必然的である」「〜は可能である」を使って, 単純な文から構成される. 文の内包は, すべての可能世界におけるその文の真理値全体である. 複雑な文の内包は, それを構成する文の内包から, 次の規則に従って決定される(「A」と「B」はその言語に属する文を表す. w は任意の可能世界である).

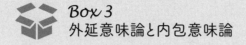

なくなるのだ。

作業モデル・反例・エラーへの脆弱性

モデルは面白い。あれこれいじって遊べる。たまたまそういう長所が付随しているということではない。自然科学でも哲学でも、その面白さにこそモデルの狙いがあるのだ。モデルを操作して遊ぶことで、われわれは何かを学んでいく。実物を操作できないとき、実物のモデルを操作することが次善の策となるケースは少なくない。あれこれの要素にわずかな変更を加え、それによってどんな違いが生じるか、どこを変えればどこが変わるかを調べてみる。そうすることでモデルの仕組みはいっそう深く理解できるようになるのである。モデルがよければ、実物の仕組みについても理解は深まる。たとえば、英語の仕組みを勝手に変えて、どんな違いが生まれるかを調べるわけにはいかない。しかし、人工言語の規則ならば好きなように変えて、その結果を割り出すことができるのだ。

モデルが簡単に操作できるには、数学的あるいは論理学的に正確で扱いやすい言葉で定義する必要がある。定義が曖昧だったりややこしかったりすると、そこから導かれる帰結も不明確なものになってしまう。本来ならば、実際にモデルを動かして自分の哲学的な勘の当否をテストすべきところである。ところがこうした悪条件下では、モデルの挙動を判断するのに、あらかじめ自分がもっている哲学的な勘に頼らざるをえなくなるのだ。きちんと定義されたモデルであれば、モデルの挙動がどうであり、そこに変更を加えるとどうなるかを事前の勘に惑わされることなく厳密に割り出せるので、思いもよらない発見にも出会える。モデル作りという方法では、厳密さと遊び心が無理なく両立しているのである。

モデル作りの厳密さは、ほとんどの哲学者にとってなじみのない質のものだ。反例が見つかればその主張は放棄しなければならないというのが、伝統的な哲学の考える厳密さだった。その意味では、大半のモデルが最初から反駁されている。実際とは異なる単純化が仮定として含まれているからである。たとえば認識論理のモデルでは、ふつうの人間がかかえる論理的な欠陥を度外視して、理想的な人間像を想定するのが定石となっている。そのため哲学者のなかには、こうしたモデルを認めない人もいる。

物理学では、太陽系のモデルで惑星は質点と見なされ、あたかも全質量が中心の一点に集中しているかのように扱われる。惑星そのものは質点ではないし、質点と正確に同じように振る舞うわけでもないことは、物理学者も当然承知している。それでもこうしたモデルを捨てたりはしない。そこから多くを学べることを知っているからだ。クレーターや隆起も含めて、惑星の完全に正確な描写を組み込もうとすると、モデルは計算ができないほど複雑になってしまう。モデルの特徴のうち、酌むべき情報をもつものと、問題を単純化するために設けた人為的なものとを区別するスキルが必要である。いま哲学者はこのスキルを学ばねばならない。

多くの哲学者の眼には、誤った一般則を否定するよりも、正しい反例を否定するほうが真理を蔑ろにしているように映る。たしかに、明らかな反例を突きつけられてもなおその一般則を信じるとしたら、知的態度として無責任といわれても仕方がない。けれども、モデル作りの姿勢とはそういうものではない。たとえ誤りではあっても、真理を指し示す、モデルの鍵となる一般則というものがあるのだ。

モデルを反駁するのでないのなら、反例はいったい何をするのだろうか。モデル作りの方法では、モデルに取って代わるのはもっとすぐれたモデルである。すぐれているとは、たとえば従来のモデルがかかえる反例にもっとうまく対処できるといったことだ。しかし、従来のモデルで成功していた部分も新たなやり方で再現できるのでなければならない。もっとも、こうしたメリットをあわせもつ新しいモデルは、必ずしも簡単に見つかるわけではないが。

モデル作りは、科学哲学者のカール・ポパー（一九〇二―一九四）が唱えた「推測と反駁」という方法と好対照をなしている。おおまかにいえば、それは次のような見解である。科学者は、大胆な推測――情報量の豊かな全称命題――を提案する。しかしこれは、反証ができても検証はできない。たったひとつの否定的事例、反例があれば、この全称命題は反証されるが、どれほど多くの肯定的事例を積み上げたところで、これを検証することは不可能である。そこで科学者は、そうした反例を見つけて反証することに全力を尽くす。そして、ひとたび命題が反証されれば、科学者は新たに別の大胆な推測を提案する……。

自然科学でも哲学でも言えることだが、このような反証主義の方法で問題なのは、エラーに対して脆弱だという点である。たったひとつの間違いでも悲惨な結果を招く恐れがあるのだ。いま、ある大胆な推測をテストしているとしよう。そして、反例と思えるものをひとつ見つけたとする。

反証主義に忠実であれば、その推測は捨てて、次の推測を試すことになるだろう。けれども、反例と思ったものが実はそうでなかったとしたらどうだろうか。人は無謬ではない。ときどき判断ミスを犯すこともある。そういう場合、最初の推測が実は正しかったというケースもあるだろう。だがその推測が顧みられることはない。新たに立てた大胆な推測をテストするのですでに手一杯だからだ。反例を頼みの綱とする哲学者は、粗雑な反証主義に驚くほど接近してしまうことがある。ひとたび反例を受け入れたなら、もはや撤回はできないと言わんばかりに。これに対して、モデル作りの方法はエラーに対する脆弱性がはるかに低い。たったひとつの判断にそこまで大きな決定力を認めないからである。モデルの比較は、さまざまな側面を検討してなされるのだ。

とはいえ、哲学がモデル作りの方法に全面的に移行すべきだというのではない。論理学など一部の分野では、真であり情報量もある全称命題が数多く見つかっている。その一方で、すぐれたモデルが望めない分野もあるだろう。認識論のように良好なモデルがある場合でも、いくつもの方法を併用するのがベストの選択ということもある。それぞれの方法が独立に同じ方向へと導いてくれるなら、それが正しい道であることの強いエビデンスになるからだ。指し示す方向が逆でないかぎり、複数の方法の組み合わせは確かな道しるべとなるのである。

哲学にとってモデル作りの方法がもつ可能性は、まだ手探りの段階でしかない。その射程と限界がさらに明らかになるのは、あと半世紀さきのことだろう。

11　おわりに――哲学の未来

哲学はそれ自体がひとつの科学であり、ほかの分野と関わり合いながらも、それらと同じように自律的な学問である。しかし、哲学は「別のものたるべし」という圧力に絶えずさらされている。生き方のアドバイス、政治論、人の道の教え、文法のレッスン、神を認めない宗教、難解で読みにくい文学、通俗物理学、通俗生物学、通俗心理学、通俗脳科学、さらには計算や世論調査であったり。そうした圧力にあらがうのは容易ではない。それは哲学に寄せられる根強い――しかし相矛盾する――期待のあらわれであるとともに、哲学者が自分の研究分野に対して抱く不安感につけ込むものでもあるからだ。そして何よりも、そうした圧力の根底には、哲学者にも哲学者以外の人にも、哲学がいまある姿をとるにいたった理由への無理解がある。本書でこうした無理解が少しでも解消できれば、というのが筆者の願いである。ただし、その成否がどうであろうと、哲学がこの種の知的企てに対する文化的偏見をどこまで乗り越えられるかは誰にもわからないのだ。

それでも哲学があゆみを止めることはないだろう。人間の好奇心のなかに息づく、哲学の問題を極限まで追究しようとする自然な衝動。その問題に答えるために、替えの利かないもっともふさわしい方法を使おうという決意。哲学はそうしたものから発している。この衝動と決意は簡単に消え去りはしないのだ。

哲学理論の進歩は哲学の方法の進歩をうながし、哲学の方法の進歩は哲学理論の進歩をうながす。この本で紹介した方法には、もちろん改良の余地がある。ほかの科学が自分たちの方法を改良するように、哲学の方法の改良もまた、過去との芝居がかった決別ではなく、繰り返しみずからを洗練させる困難な過程によって成し遂げられる。ひょっとしたら、この過程に貢献してくれる方が読者のなかにもおられるかもしれない。

訳注

第1章

★1　名のある科学者を使ってのこうした政府や企業の戦略は、N・オレスケス、E・M・コンウェイ『世界を騙しつづける科学者たち』(楽工社、二〇一一年)に詳しい。

第2章

★1　眼球や顕微鏡、望遠鏡などがからんだ事象を想像すればいい。

第3章

★1　「学問的自伝」(一九四八年)でプランクはこう述べている。「おしなべて、科学の新しい真理が世に認められるのは、論敵が説得されて自分の不明を認めるからではない。敵の陣営がだんだんと死に絶える一方で、はじめからその真理に慣れ親しんだ若い世代が育ってくるからなのだ」Max Planck, *Vorträge, Reden, Erinnerungen*, H. Roos, A. Hermann (Hrsg.), Springer Verlag, 2001, S. 64.

第4章

★1　アメリカのブッシュ政権(二〇〇一―〇九年)は、グアンタナモ収容所に拘禁したテロの容疑者に対して、「強化尋問」(enhanced interrogation techniques)と称する水責めなどの暴力的な取り調べをおこなった。CIAは国外での拷問を禁じる連邦拷問禁止法への抵触を危惧したが、アメリカ司法省の法律顧問局は「拷問」にきわめて狭い定義を与え、水責めや睡眠剝奪などはそれに該当しないとの解釈を示した。横大道聡「アメリカの「テロとの戦争」とOLCの役割」(鹿児島大学法学論集四五(二)、二〇一一年、八五—一二八ページ)を参照。

★2　ここで「有色の」と訳したcolouredは、非白人を指すきわめて侮蔑的な表現とされる。

第5章

★1　それぞれの思考実験の出典は、伊藤和行訳『新科学論議』第一日(伊東俊太郎『人類の知的遺産31　ガリレオ』講談社、一九八五年、二一七—二二八ページ)、渡辺正訳『アインシュタイン回顧録』(ちくま学芸文庫、二〇二二年、六〇ページ)。

第6章

★1　バートランド・ラッセルの『心の分析』(一九二一年)に、五分前に創造された世界仮説への言及がある。ラッセルの「仮説」も、本書の六分前創造仮説も、ともに懐疑論の一例であり、一九世紀の創造論のパロディーでもある。とくに、先史時代の地質学的痕跡も含めて無から地球が神によって創造されたとする説を、博物学者のフィリップ・ヘンリー・ゴス(一八一〇—八八)の著作にちなんで「オムファロス仮説」という。

★2　測定値と真値との差を測定誤差という。測定誤差には系統的誤差とランダム誤差の二つの種類がある。たとえば未較正の電子はかりで金属片の重さを測ったとき、目盛りは真値よりも一貫して高い(あるいは一貫して低い)値を示す可能性がある。これが系統的誤差である。一方、同じ金属片でも、繰り返し計測すれば大なり小なり値が変動する。この場合の誤差をランダム誤差という。

第7章

★1　セクストス・エンペイリコスの著作にクリュシッポスとイヌの選言三段論法の話がある。金山弥平・金山万里子訳『ピュロン主義哲学の概要』第一巻六九節(京都大学学術出版会、一九九八年)。

★2　「月はグリーン・チーズでできている」は、人の無知や騙されやすさを皮肉る文脈で用いられた欧米の諺。グリーン・チーズは生の熟成していないチーズのことである。「あなたはローマ法王だ」は、まことしやかに伝えられるトリニティ・カレッジでのエピソードがネタ元。食事の席で数学者のG・H・ハーディがex falso quodlibet(古典論理などの論理系で成り立つ、矛盾から任意の命題が導かれるという法則。爆発律ともいう)を話題にすると、同じテーブルの同僚が、2+2=5という仮定のもとで哲学者のマクタガートとローマ法王が同じ一人の人物であることを証明してみせるよう求めたというお話である。ハーディはこう答えたという。「2+2=5ならば5=4。両辺から3を引くと2=1。マクタガートとローマ法王は二人。ゆえにマクタガートとローマ法王は一人」(Ronald Fisher, The nature of probability, *Centennial Review*, 2, 1958, p. 269)。ハロルド・ジェフリースの説明では、マクタガート本人が証明を求めたことになっている(Harold Jeffreys, *Scientific Inference*, 3rd ed., Cambridge University Press, 1973, p. 18)。ちなみにこのお話には、同様の論法で、自身とローマ法王とが同一人物であることをバートランド・ラッセルが「証明」したとするバージョンもある。

★3 xを集合Sを変域とする変数、RをS上の二項関係とする。このとき、任意のxに対して$R(x, x)$が成り立つならば、Rは反射的であるという。

★4 このあたりの話題については、たとえば八木沢敬『神から可能世界へ』(講談社、二〇一四年)の第四章を参照。

第8章

★1 ここでいう「確定的な方法」とは、直観的な意味での「有限回の機械的手続き」のこと。これをフォーマルに定式化したもののひとつがチューリング・マシンによる計算モデルである。チューリングはこのモデルを使って、一階述語論理の与えられた論理式が証明可能かどうかを決定する一般的な手順が存在しないことを証明した。

★2 納富信留訳『ソクラテスの弁明』38A(光文社古典新訳文庫、二〇一二年)。

第9章

★1　T. Williamson, Improbable knowing, in *Evidentialism and its Discontents*, ed. by Trent Dougherty (Oxford University Press, 2011) および Very improbable knowing, *Erkenntnis*, 2014, 79 : 971-999.

★2　シン・ヒョンソン（신현송、一九五九—）は韓国の経済学者。二〇一四年より国際決済銀行（ＢＩＳ）の経済顧問を務める。邦訳に『リスクと流動性』（東洋経済新報社、二〇一五年）がある。

第10章

★1　この問題は、一般に「宝くじのパラドックス」として知られる。前提 P と Q から結論 $P \& Q$ を導く推論は演繹的に妥当である。ところが、前提が合理的に受け入れ可能な命題の場合には、推論が妥当にもかかわらず不合理な結論が導かれることがある。真理保存的な推論が合理的受け入れ可能性を保存しないわけだ。H. E. Kyburg, Jr., Probability and Randomness, in his *Epistemology and Inference*, University of Minnesota Press, 1983 を参照。

訳者あとがき

本書はTimothy Williamson, *Philosophical Method: A Very Short Introduction*（Oxford University Press, 2020）の翻訳である。この本は、初め、同じ書肆から二〇一八年にDoing Philosophyのタイトルで出版されたが、表記法の小さな変更をのぞいて両者に違いはない。著者については、先に訳出された『テトラローグ』（勁草書房、二〇二二年）の一ノ瀬正樹氏による解説に詳しいので、そちらを参照してほしい。

哲学には「方法」と呼べるものがあるのだろうか。ふつう哲学者というと、同学の研究者との議論を別とすれば、部屋に籠もって本や論文やコンピュータの画面に向き合う姿が思い浮かぶ。肘掛け椅子に身をゆだねての思索――つまり、アームチェア・メソッド――が哲学の方法と（しばしば否定的なニュアンスを込めて）いわれるのもそのためである。ところが近年、実験哲学に注目が集まったことで、こうした従来のイメージもいくぶん修正が迫られている印象がある。それでも、アームチェア・メソッドが主要な方法である事実は揺るがないだろう。ウィリアムソンもまた、アームチェア・メソッドによる知識の追求がまっとうな方法であることを積極的に認める。

ただし、そのまっとうさが哲学の方法の独自性なるものと結びつけて解釈されてしまう点に異を唱えるのである。

アームチェア・メソッドはどのように解釈されてきたのだろうか。ここでウィリアムソンは、二〇世紀の英語圏で影響力をふるった二つの大きな思潮に注目する。ひとつは言語論的転回。そしてもうひとつは「概念論的転回」と著者が呼ぶものである。マイケル・ダメットによれば、言語論的転回には三つの柱がある。第一に、哲学の目的は思想の構造の分析にあるという考え。第二に、思想の研究は、思考という心理学的プロセスの研究と明確に区別されねばならないという立場。第三に、思想の分析にふさわしい唯一の方法は言語の分析であるとする視点である(Michael Dummett, *Truth and Other Enigmas*, Duckworth, 1978, p. 458)。思想に構成要素があるとすれば、その構成要素は「概念」と呼べるだろう。ウィリアムソンはダメットの特徴づけを踏まえて、最初の二つの柱を受け入れる者が「概念論的哲学」を実践する者であり、「概念論的転回」を遂げた者であるという。概念論的転回のほうが定義としては弱いので、言語論的転回よりも幅広い哲学運動を意味するわけだ。(思想とは何かある対象についてのものである以上、概念論的転回では志向性が大きな位置を占めることになる。その意味で、概念論的転回はいわゆる分析哲学だけでなく、現象学や解釈学といった流れも包摂する、とウィリアムソンはいう。)

こうした言語論的あるいは概念論的転回の流れの中で、哲学の問題は、言葉や概念に関する問題として解釈された。端的な例としてカルナップをあげることができるだろう。『言語の論理的構文論』(一九三四年)のカルナップは、言語外の対象について語っていると受け取ることのできる文の一部が、実は、語や文などの言語的対象についての文に翻訳できると主張した。言語外の対象について語っているように見えるのは、たんなる見かけに過ぎないというのである。彼はこんな例を挙げている。「5はものではなく数である」という文は、「5は奇数ではなく偶数である」という文とは違い、5という数の性質について何かを述べているのではない。この文は「「5」はものの語ではなく数の語である」という文に翻訳できるのであり、「5は奇数ではなく偶数である」が object-sentence であるのに対して、pseudo-object-sentence と呼ぶべきものである、と。

言語論的あるいは概念論的描像によれば、アームチェア・メソッドは言語や概念の分析のかたちをとる。言語や概念こそが哲学の研究すべき対象とされるからである。そのため、哲学には経験科学と対照的な性格が認められることになる。ア・ポステリオリな方法によって非言語的対象――素粒子、DNA、ネコやイヌなど――についての主張を展開する経験科学とは一線を画する独自の学として、哲学は位置づけられるのである。しかし、本書にもあるとおり、哲学者が分析するのはたんなる言葉や概念ではない。たとえば時間の哲学では、「時間そのものの性質」(本書、一五一ページ)が研究されるのであって、時間にまつわる言葉や概念だけが論じられるわけではない。

ウィリアムソンによれば、言語論的・概念論的描像はべつのかたちで特徴づけることもできる。「哲学の問題が概念的な問題と言えるのは、それが概念的・分析的真理にもとづいて答えられるからだ」と考える点に特徴があると見るのである(分析的真理は、本書では「概念的真理」と呼ばれている)。分析的真理について、形而上学的な見方と認識論的な見方の二つを区分したのはポール・ボゴシアンだが、ウィリアムソンもこの区分に従って議論を進める。まず、形而上学的な理解によれば、分析的真理は意味のみによって真となるものであり、世界の側が文の真理に寄与することはない。世界のあり方を制約する――つまり、限定して記述する――ことがないという意味で、分析的真理は「実質を欠いた」(insubstantial)ものだとされるのである。アームチェア・メソッドにもとづく哲学が観察や実験をせずに進められる理由も、分析的真理のそうした性質に求められる。ところが、形而上学的な分析性理解に即するかぎり、分析的真理が実質を欠いているとはいえないとウィリアムソンは主張するのだ。ひるがえって、認識論的な分析性理解によれば、分析的な文とは、理解することがそれに対する同意を含んでいる文を意味する。しかし、理解と同意とを結びつけるこの見方に対してもウィリアムソンは反論する。第4章に登場する、クジラを哺乳類と考えない共同体の例もまたそうした見方への反例となっている。「メスのキツネはみなメスのキツネである」のように、理解と同意の結びつきがもっと強固に思われる論理的真理についても、曖昧な概念と三値論理の組み合わせによる、二つが相即しない事例が指摘されている(*The Philosophy of Philosophy*, p. 89)。結局、分析的真理に関して形而上学的な見方をとろうと認識論的な見方をとろうと、いずれの主張も額面通りには成り立たないというのである。

哲学が言語論的哲学や概念論的哲学の枠に収まらないとすれば、それはどのような営みなのだろうか。本書では、哲学がそれ自体として「ひとつの科学」(一七〇ページ)であると言われているが、もちろんこれは哲学が自然科学のひとつであるという意味ではない。しかし、著者によれば、

「哲学の大部分は自然科学や社会科学のもっとも理論的な部分に似ている」とともに「数学の基礎的な部分と多くを共有して」もいる(Armchair philosophy, in *Epistemology and Philosophy of Science* 56(2): 19-25, 2019)。そのかぎりで、哲学は他の科学と大きく異なるわけではないと考えるのである。アームチェア・メソッドを主な方法とする独自の科学としての哲学——そこで活用されるのは、われわれが持つふつうの認知能力である、とウィリアムソンはいう。とくに彼が注目するのは、反事実的条件文を評価する能力である。必然性や可能性という形而上学的様相に関する知識も、思考実験のエビデンスとしての有効性も、この能力にもとづいているというのがウィリアムソンの考えである。思考実験では仮想的なシナリオのもとで判断が下されるが、仮想的シナリオとは反事実的条件文によって表現されるものだからだ。

最後の点についてもう少し説明しておこう。ウィリアムソンによれば、われわれには想像力を働かせることによって反事実的条件文の当否を評価するという能力がある。たとえば、いま自分が夏の雪渓にいる情景を想像しよう。雪渓の麓は藪でおおわれ、さらにその下には湖が横たわっている。すると、雪解けで不安定となった大きな石が藪の中に転がり落ちていくのが目に入る。ここであなたには、藪がなければ石はどこまで落ちていただろうかという疑問が浮かぶ。この疑問に答えるには、藪のない谷を石が転がり落ちていく情景を想像してみるのが自然なやり方である。そうすれば、「もし藪がなかったなら、石は湖まで転がり落ちていただろうな」という反事実的条件文で表される考えに思いいたる。こうした想像は、現実離れしたものを捨てて、少数の「いちばん役に立ちそうなもの、つまり実践面とのつながりのある可能性だけ」(本書、六九ページ)に絞るのがやり方としては賢い。ウィリアムソンは、このような反事実的条件文が形而上学的様相を表現した文と論理的に等価であることを示す。つまり、「必然的であるとは、その否定が矛盾を反事実的に含意すること」であり、「不可能であるとは、矛盾を反事実的に含意することであり、可能であるとは、そうではないことである」(*The Philosophy of Philosophy*, p. 159)。したがって、反事実的条件文の真偽を評価するわれわれの認知能力は、形而上学的様相を表す主張も想像によって評価できることになる。(付言すれば、のちに彼は、実質含意の概念を活かした反事実的条件文の分析も提案している)。現実とはひとまず切り離された想像による認知能力の活用に、ウィリアムソンはアームチェア・メソッドによる知識の土台を見据えるのである。

知覚の哲学などに端的に見られる、経験科学の成果の利用。アブダクションを駆使しての、情報量豊かでシンプルでエレガントな一般則の追求。複雑な事象を把握するためのモデル作り。ウィリアムソンが語るこれらの方法は、哲学者の誰もが受け入れているとは言えないかもしれない。たとえば彼は、博士論文のスーパバイザーだったマイケル・ダメットとのこんな逸話を語っている(*ibid.*, p. 335)。論文で著者は、最善の説明を導く推論によってある論証を提示した。それは著者みずからが論文の白眉と自認する論証だった。ところがダメットは、これを論文中の最悪の論証と評したというのだ。最善の説明を導く推論、つまりアブダクションは、ダメットにとって哲学の論証として認めることのできないものだったのである。ウィリアムソンが方法としてのモデル作りの可能性を説くにいたった機縁のひとつとして、経済学者シン・ヒョンソンとの共同研究があったと推察される。彼は知識に関する標準的な見解への反例をあげただけのゲティア論文について、「経済学では、このような論文は出版の価値ありとは認められなかっただろう」と述べたという。反例をゴールド・スタンダードとする習慣に染まっていた著者は、このコメントにショックを受けたと告白している(*ibid.*, p. xiv)。しかし、シンの評言に対しては、著者とは別の反応もあるはずだ。

入門書の体裁ながら、この小著は各所に挑発的な論点が盛り込まれている。哲学者の楽屋裏をのぞいてみたいという人はもちろん、専門の研究者の方々にも興味深く読んでいただけるものと思う。

この訳書がなるにあたって、岩波書店の松本佳代子さんにお世話になりました。多少とも読みやすいものになったとすれば、訳者の粗を丁寧に指摘してくれた松本さんのおかげです。著者のウィリアムソンさんには、訳者の不躾な質問にこころよく答えていただきました。末筆ながら、記して感謝します。

初冬の仙台にて　訳者識す

索　引

Philosophical method 巻末に収録された索引をもとに，日本語版索引として作成した．それぞれの項目に続けて，理解に資すると考えられるページ数をあげる．イタリック体は，当該の項目を主題とした章，節のページ数を示す．

あ　行

か　行

さ　行

た　行

な　行

は　行

参考文献と読書案内

The Oxford Handbook of Philosophical Methodology (Oxford: Oxford University Press, 2016), edited by Herman Cappelen, Tamar Szabó Gendler, and John Hawthorne; *The Palgrave Handbook of Philosophical Methods* (Basingstoke: Palgrave Macmillan, 2015), edited by Chris Daly; and *The Cambridge Companion to Philosophical Methodology* (Cambridge: Cambridge University Press, 2017), edited by Giuseppina D'Oro and Søren Overgaard. いずれも，おもな読者として，プロの哲学者と哲学専攻の大学院生を念頭においた大部の論集である．一部の論考は，いわゆる分析哲学と大陸系の哲学という，近年における２つの大きな哲学の流儀の違いを扱っている．ただし本書では，この話題には触れなかった．いずれの流儀も，その中身を見れば方法論的に多様であり，一般論のかたちで論じてもあまり意味がないからだ．ちなみに，本書が「分析系」の視点に立って書かれていることはご覧のとおりである．

Julian Baggini and Peter Fosl, *The Philosopher's Toolkit: A Compendium of Philosophical Concepts and Methods* (Oxford: Wiley-Blackwell, 3rd edition, 2020). 一般読者のための，多くの短い項目からなる参考図書といった体裁の本(長滝祥司・廣瀬覚訳『哲学の道具箱』共立出版，2007．原著初版の邦訳．第３版の訳は同書肆から刊行予定).

David Papineau, *Philosophical Devices: Proofs, Probabilities, Possibilities, and Sets* (Oxford: Oxford University Press, 2012). テクニカルな議論を志向する哲学者が利用する，論理学と数学のツールを解説した１冊.

Timothy Williamson, *The Philosophy of Philosophy* (Oxford: Wiley-Blackwell, 2nd edition, 2022). 本書で取り上げた話題の多くについて，筆者の考えをさらに詳しく展開したもの.

Edward Craig, *Philosophy: A Very Short Introduction* (Oxford: Oxford University

Press, 2nd edition, 2020). 哲学の方法ではなく，さまざまな哲学者と哲学のトピックを紹介した本.

オンラインの *Stanford Encyclopedia of Philosophy* (https://plato.stanford.edu) に収められた記事の多くは，哲学者と哲学のトピックについてさらに多くを知るための出発点となるだろう. 情報量が豊かで，最新の知見も盛り込まれている.

第１章　序論

デカルトの方法論は，*Descartes: Selected Philosophical Writings* (Cambridge: Cambridge University Press, 1988), translated by John Cottingham, Robert Stoothoff, and Dugald Murdoch で読むことができる(小泉義之訳『方法叙説』講談社学術文庫，2022).

Jennifer Nagel, *Knowledge: A Very Short Introduction* (Oxford: Oxford University Press, 2014)の第２章は懐疑論がテーマである.

第２章　常識から出発する

G. E. Moore, 'A defence of common sense' は *Philosophical Papers* (London: Routledge, reprinted 2010): 32–59 に収められている(国嶋一則訳「常識の擁護」,『観念論の論駁』勁草書房，1960).

常識に挑んだ論考を２つあげておく. J. M. E. McTaggart, 'The unreality of time', reprinted in *The Philosophy of Time* (Oxford: Oxford University Press, 1993): 23–34, edited by Robin Le Poidevin and Murray MacBeath(永井均訳『時間の非実在性』講談社学術文庫，2017). Peter Unger, 'There are no ordinary things', *Synthese*, 41 (1979): 117–154.

Hilary Kornblith, *Knowledge and Its Place in Nature* (Oxford: Oxford University Press, 2nd edition, 2005)は，動物に共通する特徴という視点から知識を論じている.

哲学におけるエビデンスについては，拙著 *Philosophy of Philosophy* (Oxford: Wiley-Blackwell, 2nd edition, 2022)の第７章で検討しておいた.

第３章　議論する

論者が相対して繰り広げる中世のスタイルの議論については，次の論文を見よ．‘Obligationes’ by Catarina Dutilh Novaes and Sara Uckelman in *The Cambridge Companion to Medieval Logic* (Cambridge: Cambridge University Press, 2016): 370–395, edited by Catarina Dutilh Novaes and Stephen Read.

Jaakko Hintikka, *Logic, Language-Games and Information* (Oxford: Clarendon Press, 1973)では，現代論理学における対話ゲームへのひとつのアプローチが展開されている．

プラトン，ガリレオ，ヒュームの対話篇はさまざまな版で読むことができる．

本文では，ほかにも次の著作に言及した．Gottfried Wilhelm Leibniz, translated and edited by Peter Remnant and Jonathan Bennett, *New Essays on Human Understanding* (Cambridge: Cambridge University Press, 2nd edition, 2008)(米山優訳『人間知性新論』みすず書房，1987)．これはロックとライプニッツの長大な対話といえるものだ(読者は，どちらが討論に勝ったと思われるだろうか)．George Berkeley, edited by Robert Adams, *Three Dialogues between Hylas and Philonous* (Indianapolis, IN: Hackett, 1979)(戸田剛文訳『ハイラスとフィロナスの三つの対話』岩波文庫，2008)．

対話形式については，Timothy Smiley ed., *Philosophical Dialogues: Plato, Hume, Wittgenstein* (Oxford: Oxford University Press, 1995)の議論を参照.

Hugo Mercier and Dan Sperber, *The Enigma of Reason* (Cambridge, MA: Harvard University Press, 2017)は，「理性とは，ミイラ取りがミイラになることなく相手を説得する手段である」という立場から，理性の進化論を展開したもの．

量化絶対主義と量化相対主義のきわめてテクニカルな論争については，次の論文で論じておいた．‘Everything’, *Philosophical Perspectives*, 17 (2003): 415–465.

砂山のパラドックスの対話バージョンと論証バージョンについては，拙著 *Vagueness* (London: Routledge, 1994)の第１章を参照.

対話という議論形式については，*Tetralogue: I'm Right, You're Wrong* (Oxford:

Oxford University Press, 2015)(片岡宏仁訳『テトラローグ』勁草書房，2022)で検討を試みた．

シマウマの例は，Fred Dretske, 'Epistemic operators', *Journal of Philosophy*, 67 (1970): 1007–23 の例がヒントになった．Jennifer Nagel, *Knowledge: A Very Short Introduction* (Oxford: Oxford University Press, 2014)の第 7 章はドレツキの例を取り上げている．

第 4 章　言葉を明確にする

カルナップの見解については，次の論文を見よ．'Empiricism, semantics, and ontology' in his *Meaning and Necessity: A Study in Semantics and Modal Logic* (Chicago, IL: University of Chicago Press, 2nd edition, 1956): 205–221(「経験主義，意味論，及び存在論」，永井成男・内田種臣・桑野耕三訳『意味と必然性』紀伊國屋書店，1974)．

ヴィトゲンシュタインの哲学観を知るには，まず彼の哲学的実践にふれてみるのが捷径だろう．たとえば *Philosophical Investigations* (Oxford: Wiley-Blackwell, 4th edition, 2009), edited by Peter Hacker and Joachim Schulte(鬼界彰夫訳『哲学探究』講談社，2020)．

概念分析としての哲学の現代版については，Frank Jackson, *From Metaphysics to Ethics: A Defence of Conceptual Analysis* (Oxford: Clarendon Press, 1998)を見よ．

「女性」をめぐる哲学的問題については，次の論文を参照のこと．Sally Haslanger, 'The sex/gender distinction and the social construction of reality' in the *Routledge Companion to Feminist Philosophy* (New York: Routledge, 2017): 157–167, edited by Ann Garry, Serene Khader, and Alison Stone.

「カントールの連続体問題とは何か」で，ゲーデルはプラトニズムの立場を鮮明にしている．'What is Cantor's continuum problem?' in his *Collected Works, Volume II: Publications 1938–1974* (Oxford: Oxford University Press, 2001): 254–270, edited by Solomon Feferman and others(岡本賢吾訳，飯田隆編『リーディングス 数学の哲学――ゲーデル以後』勁草書房，1995)．

概念的真理に対する筆者の異論は，拙著 *Philosophy of Philosophy* (Oxford: Wiley-Blackwell, 2nd edition, 2022)の第 3 章と第 4 章で詳述しておいた．

第５章　思考実験をする

ダルモッタラの例については，Jonathan Stoltz, ‘Gettier and factivity in Indo-Tibetan epistemology’, *Philosophical Quarterly*, 57 (2007): 394–415，および Jonardon Ganeri, *The Concealed Art of the Soul: Theories of the Self and Practices of Truth in Indian Ethics and Epistemology* (Oxford: Oxford University Press, 2007): 132–133 を見よ．インド哲学では，ダルモッタラよりも数世紀前にすでに，同様の例がいくつも論じられている．ゲティア問題を扱ったジェニファー・ネイゲルの著書では，ダルモッタラなどの古い例が用いられている．Jennifer Nagel, *Knowledge: A Very Short Introduction* (Oxford: Oxford University Press, 2014)の第４章を参照．現代の論争は，Edmund Gettier, ‘Is justified true belief knowledge?’, *Analysis*, 23 (1963): 121–123 が引き金となった．ゲティア論文に寄せられた反響の第一波は，Robert Shope, *The Analysis of Knowing: A Decade of Research* (Princeton, NJ: Princeton University Press, 1983)にきわめて詳しい．拙著 *Knowledge and Its Limits* (Oxford: Oxford University Press, 2000)では，知識を基礎的なものと考える立場を擁護した．

ヴァイオリニストの事例はジュディス・ジャーヴィス・トムソンによる．Judith Jarvis Thomson, ‘A defense of abortion’, *Philosophy and Public Affairs*, 1 (1971): 47–66(塚原久美訳「妊娠中絶の擁護」，江口聡編・監訳『妊娠中絶の生命倫理』勁草書房，2011)．

さらに多くの思考実験を紹介したものとして，Roy Sorensen, *Thought Experiments* (Oxford: Oxford University Press, 1998)がある．

拙著 *Philosophy of Philosophy* (Oxford: Wiley-Blackwell, 2nd edition, 2022)の第６章では，思考実験の構造を立ち入って分析してみた．

ギュゲスの指輪の話は，プラトンの『国家』第２巻が出典(藤沢令夫訳『国家』全２冊，岩波文庫，1979)．

ゾンビについての議論は，David Chalmers, *The Conscious Mind: In Search of a Fundamental Theory* (Oxford: Oxford University Press, 1996)(林一訳『意識する心』白揚社，2001)で展開されている．

知識を獲得するうえで想像がどう活用できるかについては，次の拙稿で検討

した．‘Knowing and imagining’ in *Knowledge Through Imagination* (Oxford: Oxford University Press, 2016): 113–123, edited by Amy Kind and Peter Kung.

思考実験における直観の役割を積極的に評価したものとして，Jennifer Nagel, ‘Intuitions and experiments: a defense of the case method in epistemology’, *Philosophy and Phenomenological Research*, 85 (2012): 495–527 を見よ．否定的な見方としては，Herman Cappelen, *Philosophy Without Intuitions* (Oxford: Oxford University Press, 2012)を参照.

‘Normativity and epistemic intuitions’ by Jonathan Weinberg, Shaun Nichols, and Stephen Stich, *Philosophical Topics*, 29 (2001): 429–460 は，哲学の思考実験で下される判断に民族性やジェンダーによる違いの可能性を指摘した先駆的論文である．

Joshua Alexander, *Experimental Philosophy: An Introduction* (Cambridge: Polity, 2012)は，タイトルにあるとおりの実験哲学の入門書．この分野の現状については，*A Companion to Experimental Philosophy* (Oxford: Wiley-Blackwell, 2016), edited by Justin Sytsma and Wesley Buckwalter を見よ．

第 6 章　理論を比較する

物理主義，二元論，および関連する立場について幅広く論じた入門的文献として，Jaegwon Kim, *Philosophy of Mind* (Boulder, CO: Westview, 3rd edition, 2010)を参照のこと．

ここでの話題に関連する科学哲学の背景的知識については，Samir Okasha, *Philosophy of Science: A Very Short Introduction* (Oxford: Oxford University Press, 2nd edition, 2016)(廣瀬覚訳『1 冊でわかる　科学哲学』岩波書店，2008. 原著初版の邦訳)を見よ．

Gilbert Harman, ‘The inference to the best explanation’, *Philosophical Review*, 74 (1965): 88–95, および Peter Lipton, *Inference to the Best Explanation* (London: Routledge, 2nd edition, 2004)は，このテーマを扱った古典的文献である．

オーバーフィッティングについては，次の論文を見よ．Malcolm Forster and Elliott Sober, ‘How to tell when simpler, more unified, or less *ad hoc* theories will provide more accurate predictions’, *British Journal for the Philosophy of Science*, 45

(1994): 1–34.

本章のテーマについては，次の論文で詳しく論じておいた．'Abductive philosophy', *Philosophical Forum*, 47 (2016): 263–280. *The Philosophy of Philosophy* (2nd edition, 2022)に再録.

第 7 章　演繹する

Graham Priest, *Logic: A Very Short Introduction* (Oxford: Oxford University Press, 2nd edition, 2017)(菅沼聡・廣瀬覚訳『論理学超入門』岩波書店，2019)が読みやすい．著者は真矛盾主義の主唱者.

論理学のさまざまな改訂案の背景にあるパラドックスについては，Mark Sainsbury, *Paradoxes* (Cambridge: Cambridge University Press, 3rd edition, 2009)(一ノ瀬正樹訳『パラドックスの哲学』勁草書房，1993)を見よ.

帰納についてのラッセルの評言は，1907 年の論文 'The regressive method of discovering the premises of mathematics' が出典．Bertrand Russell, *Essays in Analysis* (London: George Allen & Unwin, 1973): 272–283, edited by Douglas Lackey に再録．論理学と動物学のくだりは，*Introduction to Mathematical Philosophy* (London: George Allen & Unwin, 1919): 169(平野智治訳『数理哲学序説』岩波文庫，1954，221 ページ)からの引用である.

この章の最後で指摘した様相論理の問題については，拙著 *Modal Logic as Metaphysics* (Oxford: Oxford University Press, 2013)の第 1 章を見よ.

第 8 章　哲学史を活用する

検証原理の根底にある問題については，クワインの「経験主義の 2 つのドグマ」を見よ．論文は洞察力にあふれているが，問題の所在が見極められているわけではない．Willard V. O. Quine, 'Two dogmas of empiricism', *Philosophical Review*, 60 (1951): 20–43(飯田隆訳「経験主義のふたつのドグマ」,『論理的観点から』勁草書房，1992).

Thomas Kuhn, *The Structure of Scientific Revolutions* (Chicago, IL: University of Chicago Press, 2nd edition, 1970) (中山茂訳『科学革命の構造』みすず書房，1971)は好著.

ラカトシュ・イムレの仕事については，次の論集を見よ．*Philosophical Papers, Volume 1: The Methodology of Scientific Research Programmes* (Cambridge: Cambridge University Press, 1978), edited by John Worrall and Gregory Currie(村上陽一郎・井山弘幸・小林傳司・横山輝雄訳『方法の擁護』新曜社，1986)．

第 9 章　他分野を活用する

理想理論と非理想理論の区別はロールズによる．John Rawls, *A Theory of Justice* (Cambridge, MA: Harvard University Press, revised edition, 1999)(川本隆史・福間聡・神島裕子訳『正義論』紀伊國屋書店，2010)．

本章に関連のあるエヴァンズ=プリチャードの本は，Edward Evan Evans-Pritchard, *Witchcraft, Oracles and Magic among the Azande* (Oxford: Clarendon Press, 1937)(向井元子訳『アザンデ人の世界——妖術・託宣・呪術』みすず書房，2001)である．

相対主義については，次の文献を見よ．Maria Baghramian, *Relativism* (London: Routledge, 2004); Paul Boghossian, *Fear of Knowledge: Against Relativism and Constructivism* (Oxford: Clarendon Press, 2006)(飯泉佑介・斎藤幸平・山名諒訳『知への恐れ』堀之内出版，2021); Timothy Williamson, *Tetralogue: I'm Right, You're Wrong* (Oxford: Oxford University Press, 2015)(片岡宏仁訳『テトラローグ』勁草書房，2022)．

言語学と言語哲学の交流は，次の文献のほぼすべての章で見て取れる．*The Routledge Companion to Philosophy of Language* (London: Routledge, 2012), edited by Gillian Russell and Delia Graff Fara.

心理学と知覚の哲学との交流については，*The Oxford Handbook of Philosophy of Perception* (Oxford: Oxford University Press, 2015), edited by Mohan Matthen を見よ．

哲学における自己知についての伝統的な見方には，心理学の知見にもとづく批判がある．Peter Carruthers, *Opacity of Mind: An Integrative Theory of Self-Knowledge* (Oxford: Oxford University Press, 2011)を見よ．

意思決定理論は哲学と理論経済学，計算機科学が大きく重なり合う分野だが，これについては Martin Peterson, *An Introduction to Decision Theory* (Cambridge:

Cambridge University Press, 2nd edition, 2017)を参照.

認識論理の先駆的研究については，Jaakko Hintikka, *Knowledge and Belief* (Ithaca, NY: Cornell University Press, 1962)(永井成男・内田種臣訳『認識と信念』紀伊國屋書店，1975)を見よ．計算機科学と経済学への認識論理の応用については，Ronald Fagin, Joseph Halpern, Yoram Moses, and Moshe Vardi, *Reasoning About Knowledge* (Cambridge, MA: MIT Press, 1995)を見よ．

Hilary Putnam, *Philosophical Papers, Volume 2: Mind, Language and Reality* (Cambridge: Cambridge University Press, 1979)に収められた論文のいくつかは，コンピュータと心の関係を扱ったものである．「心の計算理論」は心の哲学に関するたいていの文献で論じられている．

哲学の一部の中心問題に対しては，生物学的アプローチが有力である．このアプローチについては，Ruth Garrett Millikan, *Language, Thought and Other Biological Categories: New Foundations for Realism* (Cambridge, MA: MIT Press, 1984)を見よ．

アインシュタインの特殊相対性理論が常識的な時間の観念に突きつける問題については，Hilary Putnam, 'Time and physical geometry', *Journal of Philosophy*, 64 (1967): 240–247 を見よ．

生物学の哲学と物理学の哲学における現代の仕事の大半から，科学について省察する哲学だけでなく，科学から学ぶ哲学の姿をうかがうことができる．

第 10 章　モデルを作る

Michael Weisberg, *Simulation and Similarity: Using Models to Understand the World* (Oxford: Oxford University Press, 2013)(松王政浩訳『科学とモデル』名古屋大学出版会，2017)は，モデル作りの哲学へのすぐれた手引書.

カルナップの内包意味論は，*Meaning and Necessity: A Study in Semantics and Modal Logic* (Chicago, IL: University of Chicago Press, 2nd edition, 1956)(永井成男・内田種臣・桑野耕三訳『意味と必然性』紀伊國屋書店，1974)で展開された.

このテーマに関する筆者の見解は，次の論文で詳しく説明しておいた.
'Model-building in philosophy' in *Philosophy's Future: The Problem of Philosophical*

Progress（Oxford: Wiley-Blackwell, 2017）: 159–171, edited by Russell Blackford and Damien Broderick. *The Philosophy of Philosophy*（2nd edition, 2022）に再録.

装幀・中尾 悠

ティモシー・ウィリアムソン
Timothy Williamson
1955年生まれ．オックスフォード大学ベリオール・カレッジ卒業．同大学で博士号取得．現在，オックスフォード大学ウィカム記念論理学教授，イェール大学A・ホイットニー・グリスウォルド哲学客員教授．専門は，認識論，形而上学，言語哲学など．著書に，*The Philosophy of Philosophy* (WILEY Blackwell, 2022), *Suppose and Tell: The Semantics and Heuristics of Conditionals* (Oxford University Press, 2020)など．邦訳に『テトラローグ』(勁草書房，2022)がある．

廣瀬覚
仙台市医師会看護専門学校非常勤講師．翻訳書に，S・H・ジェンキンズ『あなたのためのクリティカル・シンキング』(共立出版，2021)，G・プリースト『論理学超入門』(共訳，岩波科学ライブラリー，2019)などがある．

哲学がわかる 哲学の方法
ティモシー・ウィリアムソン

2023年1月17日 第1刷発行
2023年9月25日 第2刷発行

訳 者 廣《ひろ》瀬《せ》 覚《さとる》

発行者 坂本政謙

発行所 株式会社 岩波書店
〒101-8002 東京都千代田区一ツ橋2-5-5
電話案内 03-5210-4000
https://www.iwanami.co.jp/

印刷・精興社 製本・松岳社

ISBN 978-4-00-024065-9 Printed in Japan